LA DROGUE EXPLIQUÉE AUX PARENTS

Gilles Cahoreau et Christophe Tison

LA DROGUE *expliquée* AUX PARENTS

FRANCE LOISIRS
123, boulevard de Grenelle, Paris

Édition du Club France Loisirs, Paris,
avec l'autorisation des Éditions Balland

ISBN : 2-7242-3679-3

« Lorsqu'il s'agit de sonder une plaie, un gouffre ou une société, depuis quand est-ce un tort de descendre trop avant, d'aller au fond ? »

VICTOR HUGO, *Les Misérables.*

REMERCIEMENTS :

Nous remercions pour leur aide, leur patience ou leurs témoignages : Ganno Pillault et Philippe, Gérard Lumbroso, le lieutenant-colonel Laforgue, « C'est comme ça », Juliette Novak et Charles Petit, Valérie, Mme Zabou, Annie, Jacqueline Buquet, Richard Binet, Pierre Mangetout, Annie Goldman, Pierre Boncenne et Pierre Assouline, Sophie Anne Robert, Danielle Messager et les docteurs Marc Valeur et Richard Rebibou.

Merci enfin à André Balland et son équipe.

Sommaire

CE LIVRE
EST-IL DANGEREUX?

Oui

Parce que certains parents s'en serviront pour traquer leurs enfants. Ce livre n'a pas été écrit pour cela, mais nous assumons pleinement le risque d'un tel détournement. Nous espérons seulement que cette lecture parviendra à les en dissuader.

Non

« L'attirance pour la drogue est directement proportionnelle à la quantité d'informations antidrogue reçue à l'école. Il est évident que la peur n'est pas dissuasive à l'âge de la curiosité », dit le docteur Curtet (*Marie-Claire,* déc. 1986). L'information ne suscite le prosélytisme que lorsqu'elle est fantasmée, frappée de sensationnel et de mystère. La drogue est restée un tabou : on n'en parle pas vraiment, mais on en rêve, on fait des cauchemars. Les parents, en la matière, sont dans une situation analogue à celle des préadolescents face aux questions de sexualité.

Pourquoi un tel livre maintenant ?

Parce que la drogue est partout. Pas un journal, pas un film, pas un couloir de métro qui n'y fassent allusion. Plus la drogue est d'actualité, plus on en parle aux enfants et moins les parents comprennent. Par exemple, à propos de la campagne publicitaire de Jacques Séguela : « La drogue c'est de la merde », le magazine *Création* analyse :

« Le dialogue parents-enfants (c'est de sa carence dont dépend la vulnérabilité à la drogue) n'aura pas lieu (...) Pour les parents, le problème de la drogue se pose d'autant plus gravement et avec urgence que l'institution publicitaire s'en est emparée. Or, eux-mêmes sont totalement démunis pour aborder le problème puisqu'ils ne sont dépositaires d'aucun langage sur la drogue...

L'interpellation média du phénomène drogue met les parents en posture de non-réponse face aux enfants... Il est donc urgent, pour que le film « *La drogue parlons-en* » fonctionne sans cet « effet pervers » de doter les parents d'un savoir et d'une plate-forme de langage pour qu'ils puissent devenir des relais de prévention efficaces. A ce titre, « *Le film intervient trop tôt.* » (Article « Et la pub, c'est de l'intox ? » *Création,* décembre 1986).

Pourquoi expliquer la drogue aux parents ?

Parce que des parents bien informés constituent le premier et le meilleur rempart qui se puisse dresser contre la drogue. Pour la première fois les parents sont en situation de faiblesse par rapport à leurs enfants. Ces derniers disposent, en matière de drogue, d'un savoir que les adultes ne possèdent pas du tout ou très mal. Combien de parents dînent tous les soirs en tête à tête avec leur progéniture « défoncée » sans s'en rendre compte? Et quand ils croient avoir découvert le pot aux roses, ils sont encore bien souvent à mille lieues de la réalité. Ils croient que leur enfant fume des joints, qu'il voit des éléphants roses quand tout va bien, des hordes de rats quand il est en manque, alors qu'il s'enfile un bon gramme d'héroïne tous les jours et voit surtout... diminuer son compte en banque.

Comment l'avons-nous expliquée?

En donnant la seule information vraiment utile pour qui veut appréhender le phénomène drogue : une description des pratiques, des usages, des rituels... Que les adultes réfléchissent à ce qu'ils savent vraiment de la drogue : si les plus jeunes ont peut-être eu l'occasion de tirer sur un « joint », la grande majorité ne connaît que ce qu'en disent les journaux. Pour eux, le monde de la drogue est limité à des points de vue extérieurs : celui des médecins (« comment les soigner? »), de la police (saisies aux frontières et arrestations) et du système judiciaire (condamnations).

A l'inverse, ce livre est consacré à la « défonce ». C'est-à-dire à la drogue vécue de l'intérieur : comment elle se prend, quels sont les effets qu'elle engendre... Bref, nous décrivons l'univers quotidien dans lequel est plongé celui qui en prend.

Pourquoi est-il absolument nécessaire aujourd'hui de savoir ce qu'est la drogue?

Parce qu'on ne peut plus faire autrement. Aucune police du monde n'est aujourd'hui capable d'endiguer seule ce phénomène. Quand on se représente le trafic, on imagine toujours une araignée, tissant sa toile à l'échelle des cinq continents. Cette main invisible est un fantasme. Plus prosaïquement, la drogue est une matière première objet de commerce, le seul échange vraiment équitable (avec le pétrole) entre le Sud et le Nord. **500 milliards de dollars,** c'est le chiffre d'affaires annuel du trafic mondial de stupéfiants, d'après la CIA. Soit trois fois le volume de la monnaie américaine en circulation. Des économies entières, comme celle de la Colombie, ne survivent que grâce aux « narco-dollars ». En France, selon les estimations du *Nouvel Économiste,* le chiffre d'affaires du trafic atteindrait 5 milliards de francs lourds, soit plus que celui d'une société comme Matra. Les enjeux économiques du trafic sont tels qu'il est évident que la drogue ne va pas disparaître mais, au contraire, nous solliciter de plus en plus. Cela ne signifie pas obligatoirement qu'il y aura davantage de toxicomanes mais tout au moins que la rencontre entre les enfants et la drogue deviendra inévitable.

Ce débat est d'autant plus urgent qu'en 1992, les contrôles douaniers seront abolis au sein de la CEE. Les douanes sont aujourd'hui l'outil de lutte le plus efficace contre le trafic international. Un pays comme la Hollande est sans doute un modèle de traitement social de la toxicomanie, il est en revanche dangereusement laxiste en ce qui concerne la répression du trafic. Une fois les barrières douanières disparues, le Bénélux deviendrait une voie royale pour les trafiquants. Qu'arrivera-t-il alors si le dialogue n'a pas été établi et que les enfants sont livrés à eux-mêmes? Il est temps: 1992, c'est dans cinq ans.

Qu'est-ce qu'un drogué?

UN drogué, ça n'existe pas. Tout dépend de la substance qu'il consomme et des conditions dans lesquelles il la prend. C'est pourquoi nous avons divisé ce livre en trois parties. Chacune est consacrée à une des trois principales drogues qui dominent le marché français : **le shit et l'herbe (le cannabis), la cocaïne, et l'héroïne.** En pourcentage du marché, ces produits représentent respectivement 64,12 %, 1,32 % et 30,95 %. On pourrait s'étonner de l'écart énorme qui sépare les deux « leaders », de la cocaïne. Pourtant à elle seule, elle représente un phénomène plus important que chacune des autres drogues que nous traitons en annexe (colle et solvants, amphétamines, LSD et hallucinogènes, opium...) qui, toutes confondues, n'atteignent guère que 3,61 % du marché. Toutefois, si les enfants n'ont pas encore grand-chose à craindre de la cocaïne il n'est pas assuré que, rapidement, elle ne devienne un fléau comme aux États-Unis. Elle était outre-Atlantique ce qu'elle est en France aujourd'hui : la drogue des élites, synonyme d'élévation sociale. C'est pourquoi les classes moyennes se sont jetées dessus, entraînant à leur tour les plus défavorisés.

A chacune de ces trois drogues est consacré un chapitre qui comprend :

- une présentation de la substance
- une description de ses effets
- la « typologie » de ses consommateurs
- le marché et ses règles.

Pas de recette miracle, seulement des informations précises pour que les parents puissent cerner le problème et l'appréhender sans l'abandonner totalement aux thérapeutes ou au système judiciaire.

On s'apercevra ici que la distinction entre les drogues douces et dures s'opère beaucoup plus pertinemment lorsqu'on considère la sociabilité qu'impliquent ces substances plutôt que leurs effets cliniques et médicaux. Que chaque drogue, chaque type de « défonce » possède et développe une logique bien à elle où effets, sociabilité et marché se répondent. Il est important de distinguer la toxicité « pure », absolue d'un produit, de sa toxicité « humaine », relative à son usage. Vue sous l'angle social, cette distinction drogues dures/drogues douces n'est pas un fantasme de « l'ère permissive », une de ces « idées qui encombraient la réflexion depuis des années » comme voudrait nous le faire croire M. Chalandon.

Notre méthode

Nous ne sommes ni médecins, ni sociologues. Simplement, pour avoir consommé toutes les drogues que nous présentons ici nous en avons une connaissance *réelle.* Cette expérience rendait immanquablement risible ou dérisoire toute information institutionnelle sur la drogue. De la même façon que les enfants doutent de la capacité des parents à parler de la drogue, nous ne parvenions pas à croire ce qu'on nous disait au travers des médias. Par exemple : l'été dernier, la petite-fille de Cavanna mourait d'une overdose. Ému et désemparé, le grand-père confiait sa peine devant les caméras. Ses adversaires devaient abondamment polémiquer : n'était-ce pas d'une certaine manière l'idéologie dégoûtante de l'aïeul, répandue au fil des années dans *Hara-Kiri* qui avait indirectement tué la petite Marie ?

Une fois de plus, l'opinion publique française cédait à un de ses gros défauts. D'un côté les larmes et les bons sentiments, de l'autre la polémique inutile et calomnieuse. Personne n'avait rappelé cette évidence première : Marie n'aurait pas dû mourir d'overdose. Une overdose n'est pas une embolie foudroyante mais un accident respiratoire (voir

p. 149). C'est ce genre d'informations dont les parents et parfois les toxicomanes ont besoin. Comment ça se prend, qu'est-ce que ça fait, qu'est-ce que ça coûte, que risque-t-on?... C'est de ces questions restées sans réponses que Marie est morte.

Peut-on en rire?

Ce que nous décrivons ici n'est pas l'apanage d'une culture underground. Tous les jeunes, aujourd'hui, de près ou de loin, connaissent, pratiquent ou ont vu faire ce que contiennent ces pages. L'imagerie classique à la Zola du type témoignage vécu *(L'Herbe Bleue, Moi, Christiane F...)* ne rendent pas compte de l'esprit dans lequel est vécue la drogue au quotidien. Certes, les drogues dures conduisent à la tragédie.

Mais il est toujours suspect et dangereux de se vautrer dans l'imagerie mélo à chaque fois que l'on parle de drogue. Suspect, parce que tout le monde sait que le scandale, les larmes et la douleur se vendent bien, qu'ils encouragent la démagogie des hommes politiques aux programmes musclés. Et dangereux, parce que cette *imagerie* contribue à créer une situation qui, elle, est réellement dramatique. D'un côté, elle engendre la peur et le mutisme des parents, de l'autre, elle confère à la drogue un statut par trop attirant pour les enfants. On nous objectera qu'il est possible d'en parler sérieusement sans pour autant en rire. Nous répondons que rire d'un sujet sérieux est une réaction normale et parfois salutaire, lorsque le débat est aussi bloqué qu'il l'est ici. Que, ne pas comprendre qu'on puisse rire de la drogue c'est ne pas du tout comprendre ce qu'est la drogue. D'ailleurs, les drogués rient beaucoup : les héroïnomanes pour conjurer leur sort, les fumeurs de shit parce que c'est l'effet que ça leur fait.

Pierre Desproges dit : « C'est pas parce qu'on rigole du cancer qu'on ne peut pas en mourir. » Mais ce n'est pas non plus parce qu'on en rigole qu'on va le guérir : cela, seuls les progrès de la médecine y parviendront. A l'inverse, la drogue n'est PAS une maladie, c'est un phénomène social, et, en la matière, le rire, l'ironie ont des vertus thérapeutiques qui permettent de faire avancer le schmilblick. Molière a assez montré combien par ce moyen on pouvait dissoudre les mythes, les idées préconçues qui gênent la compréhension et la clarté du débat. En matière de drogue, il est urgent que l'on décrispe les positions, que l'on apprenne à la considérer autrement que sous son aspect d'épouvantail. Nous ne disons pas que la drogue c'est bien ou mal. Nous n'avons pas non plus de solution miracle. Nous disons seulement que la drogue est là et qu'il faut en parler, la prendre vraiment en compte et cesser les fantasmes. Notre seul vœu est que les parents trouvent ici les éléments qui leur manquent pour appréhender enfin la question comme leurs enfants : en adultes.

N. B. Les mots suivis de * renvoient au glossaire à la fin de l'ouvrage.

LA PREMIÈRE FOIS

> *« Vous avez vaguement entendu parler des effets merveilleux du haschich,*
> *votre imagination s'est fait une idée particulière, un idéal d'ivresse... »*
>
> BAUDELAIRE, *Les Paradis artificiels.*

La première fois, ça fait peur

La drogue, c'est interdit, c'est mal, c'est dangereux, c'est de la merde... Alors, pourquoi, lorsque l'on « sait » tout ça, va-t-on quand même tendre la main pour tirer sur un joint *, par exemple ? Il est impossible de répondre ici sur les causes profondes parce que la bonne question à poser est : « pourquoi te drogues-tu ? » et qu'il y a autant de réponses que d'individus. On peut en revanche éclairer les circonstances dans lesquelles on passe à l'acte, c'est-à-dire les causes dernières.

Les copains d'abord

On fume son premier joint pour ne pas être en reste devant les copains, pour ne pas être exclu et parce qu'on n'a pas su dire non. Le premier « dealer » que l'on rencontre, c'est toujours un copain, pas un pourvoyeur de drogue. C'est d'ailleurs pour cette raison que la première fois c'est toujours gratuit.

En tête des endroits dans lesquels on rencontre le haschich : la boum, où le non initié se pose l'inévitable question : « Mais qu'est-ce que les autres peuvent bien comploter dans le jardin ? » et le concert rock. Qui, parmi les adolescents, ne se souvient de l'apostrophe mystérieuse « T'as pas des feuilles ? » suivie d'un « ça ne fait rien, laisse tomber. »

La drogue c'est de l'am...

La première fois, la drogue c'est bien souvent de l'amour. Non pas celui dont on manque peut-être, mais plus sûrement celui de la fille ou du garçon qu'on désire. On ne veut pas paraître naïf, timide, inexpérimenté... Ça peut même être un bon moyen d'établir le contact. Le danger, l'interdit partagés donneront une sensation d'intimité plus forte. Dans ces conditions, la première fois c'est souvent la rencontre du haschich ou de l'herbe. Mais lorsqu'on est amoureux d'un toxicomane dépendant de drogues dures, il est *presque* obligatoire qu'on le devienne aussi. Mais il faut bien considérer cette relation avant de la dénoncer comme « artificielle » et « noyautée par la drogue ». Ce sont souvent de véritables histoires d'amour qui se jouent ainsi à travers la drogue et les briser ne résoudrait rien, bien au contraire.

Le moins possible

Parce que la première fois on a peur, on tente toujours d'en prendre le moins possible. Mais quant à la nature des drogues, il n'y a pas de règle : on peut commencer directement par l'héroïne. Que l'on découvre ou non la drogue avec elle, ce stupéfiant présente des paliers d'initiation. La première fois que l'on en prend, on refuse généralement de se piquer. Il faut d'abord l'avoir vu faire puis subir l'insistance d'un proche, la nécessité pressante de ne pas pouvoir faire autrement (pas assez de drogue pour la consommer autrement...) pour passer à la seringue. Si l'escalade, qui est interne à cette drogue, se poursuit, elle aboutit à la décision de se piquer soi-même. C'est généralement parce que les autres se sont lassés de jouer les infirmières que l'héroïnomane débutant va en arriver à se shooter * tout seul. Vous viendrait-il à l'idée de vous faire une piqûre intraveineuse sans posséder le moindre soupçon de compétence médicale ? C'est pourtant ce à quoi l'héroïne, de première fois en première fois, parvient à pousser son usager.

La première fois, c'est rarement agréable

L'appréhension, la peur, ou simplement les effets même des drogues sur quelqu'un qui n'y est pas habitué (voir ceux de l'héroïne p. 142) font que le premier contact est en général plutôt dissuasif. Aussi, la question qui se pose est de savoir pourquoi tel ou tel produit va être bien reçu par un individu et, dans ce cas, pour quelles raisons il y aura probablement récidive.

En effet, si à peu près tous les espaces où évoluent les jeunes, tous les milieux qu'ils fréquentent, sont infiltrés par la drogue, cela ne signifie pas pour autant qu'ils y succombent tous. La première fois, ce sont bien sûr les opportunités, les autres, qui poussent à sauter le pas. Mais tout cela ne suffit pas et demeure sans gravité tant que, de l'autre côté, il n'y a pas aussi un terrain favorable qui réponde à la drogue, un sol sur lequel peut se développer la toxicomanie. Là encore, les parents sont seuls à pouvoir déceler une éventuelle vulnérabilité à la drogue, parce qu'elle se développe selon la personnalité de chacun, son milieu social...

Le terrain favorable

L'adolescence est par excellence la période à risque. Ses valeurs et ses tentations trouvent dans la drogue une manière radicale de s'exprimer. Alors que les adolescents sont déjà aux prises avec les questions de sexualité, la drogue leur offre un espace supplémentaire de transgression des interdits. Vis-à-vis des parents, représentants de l'autorité, elle est un défi, *a fortiori* lorsque le dialogue fait défaut.

Ajoutées à cela, certaines circonstances rendent un adolescent plus fragile, plus réceptif qu'un autre aux effets d'une drogue particulière. Mais toutes les situations dramatiques (milieu social défavorisé, entourage dépressif...) auxquelles on pense systématiquement, en masquent d'autres apparemment plus banales. Par exemple :

– C'est un garçon

– il passe son CAP, son BEP, son bac... à la fin de l'année.

– Ses parents, ses professeurs lui répètent qu'il DOIT réussir : il en a les moyens, ses parents aussi.

– On s'intéresse à lui, on s'inquiète de sa santé.

– Bref, tout le monde veille à ce qu'il soit heureux. Et il l'est, « forcément ».

– Il est bien parti... pour être un candidat potentiel à la toxicomanie. Parce qu'il subit une pression de la part de son entourage et qu'il n'a pas, comme le cancre, le droit à l'échec, le droit de se tromper, de pleurer. A la moindre défaillance, dès qu'il ne se sentira plus à la hauteur de l'image qu'on se fait de lui, il prêtera le flanc à la toxicomanie : celle-ci va le rassurer quant à ses capacités (s'il se drogue il est évident qu'il ne peut plus être aussi performant qu'avant). Elle va justifier ses échecs au même titre qu'une maladie grave. Il pourra alors se plaindre, on va enfin le considérer comme un être faillible et vulnérable, c'est-à-dire comme tout le monde. Il pourra enfin pleurer, mais il sera trop tard.

Évidemment, la première fois, la drogue interpelle plus directement ceux qui n'ont rien pour réussir, mais la différence essentielle se situe beaucoup plus tard, lorsqu'il s'agit de « décrocher », de retrouver goût à la vie et de se réinsérer.

LE SHIT

Les mots

L'interdit qui pèse sur la drogue a, comme pour le sexe, engendré une prolifération de mots et d'expressions désignant des substances, des pratiques et des sensations officiellement prohibées. Ce langage a ses modes auxquelles il vaut mieux ne pas déroger sous peine d'être incompris, suspect, et finalement, rejeté. Maîtriser cette terminologie est un passage obligé pour qui veut comprendre la drogue et en parler.

Cette remarque vaut pour toutes les drogues. Pour l'instant on s'intéressera au cannabis, c'est-à-dire à ce qu'on appelle l'herbe et le shit.

Une dernière remarque de vocabulaire : pour plus de commodité, nous avons désigné les fumeurs de cannabis par le néologisme « shitman ». Le terme « man », qui en anglais signifie « mec » était à l'origine utilisé par les noirs américains comme apostrophe; puis comme suffixe pour qualifier des catégories de personnes. Par exemple : rasta-man, superman, shit-man.

<table>
<tr><th>Les producteurs cultivent</th><th>Le médecin fume</th><th>IN
Le shitman fume</th><th>OUT
Son père fumait</th></tr>
<tr><td rowspan="2">Le chanvre indien</td><td>La marijuana :
feuilles et fleurs de la plante</td><td>L'herbe
Beu en verlan
Ganja terme employé par les noirs
Jaja diminutif</td><td>La Marie-Jeanne
Pot (pote)
Grass
termes anglais</td></tr>
<tr><td>Le cannabis :
résine extraite de la plante</td><td>Le shit
Tosh en verlan
Traduc. littérale : shit = merde d'où le verlan deumer
Hakik prononcé comme Coluche</td><td>Haschich
Kif
dérive de l'arabe où ce mot désigne un mélange de shit et de tabac
Chichon</td></tr>
<tr><td>Mode de consommation</td><td></td><td>Pétard
Tarpé (en verlan)
Oinche :
verlan pour joint</td><td>Joint</td></tr>
</table>

La chose

L'herbe et le shit sont extraits d'une même plante, le chanvre indien. Si leurs aspects diffèrent, ils produisent des effets sensiblement identiques et surtout, ils sont consommés par les mêmes personnes. C'est pourquoi nous les traitons ici ensemble.

L'herbe, à la consommation se présente sous la forme de feuilles et de fleurs séchées (en général, on trouve surtout des tiges et des graines qu'il faut éliminer avant de fumer).

Le shit est une résine. Il se présente sous la forme de petites barrettes de la taille d'un morceau de chocolat. Pour le fumer il faut chauffer la barrette afin de la ramollir. On peut alors en détacher des fragments et les mélanger au tabac.

Quelle que soit la forme consommée, le chanvre indien libère la même substance active : le THC (tétra-hydrocannabinol). La teneur en THC varie beaucoup selon la provenance du produit.

L'huile est un produit très rare sur le marché. C'est un concentré liquide de haschich (sa teneur en THC atteint les 60 %). Elle offre au trafiquant l'avantage d'être moins volumineuse, mais son conditionnement pose évidemment des problèmes. C'est pour cette raison qu'elle a presque disparu après avoir connu une certaine vogue dans les années 70.

Origines et qualités

1 / L'herbe

L'Acapulco Gold

La mexicaine dorée, un « must ». C'est l'herbe mythique des années 70. Elle a été détrônée par la « colombienne ».

– Teneur en THC : 2 %.

La Colombienne

Comme toutes les herbes de qualité, elle est cultivée en altitude. Les rayons ultraviolets plus sensibles améliorent la qualité des plants de cannabis. La « colombienne » ne désigne pas seulement l'herbe cultivée en Colombie, c'est désormais un terme générique pour désigner les produits venus d'autres pays d'Amérique latine où sa culture s'est étendue.

Couleur vert foncée, presque brune.

– Teneur en THC : 2 %.

La Sin Semilla

Herbe californienne qui a l'avantage de ne pas contenir de graines. Les Américains ont constaté que le THC était sécrété en masse par les plants de cannabis femelles. Juste avant la floraison, ils coupent les plants mâles pour que la fécondation n'ait pas lieu et que les plants femelles continuent à pousser leur cri d'amour désespéré en produisant du THC. Ainsi, ils parviennent à obtenir d'aussi bons résultats que les Sud-Américains. Outre-Atlantique, elle est habituellement consommée pure et en stick *.

– Teneur en THC : 1,5 à 2,5 %.

L'Africaine

Une franche couleur verte, une odeur beaucoup plus entêtante. Elle figure également parmi les « meilleures » herbes mais certains la jugent trop « écroulante », plongeant son consommateur dans une hébétude temporaire qui se transforme rapidement en sommeil profond. C'est la vraie « ganja » du rasta *.

– Teneur en THC : environ 2 %.

L'Asiatique

La plus puissante de toutes. Rares sont ceux qui en ont consommé sous nos latitudes car elle est transformée en shit.

– Teneur en THC : 3 % et plus.

La Française

Une baisse de qualité sensible. « Val d'oisienne » ou « bretonne », son appellation suffit à traduire son grand défaut : elle a manqué de soleil. Quelques cultures extensives dans le Larzac et les Pyrénées. La « parisienne », la « lyonnaise »... sont des herbes cultivées en appartement. Ce sont des cultures vivrières réservées à la consommation du jardinier et de ses amis. Les graines ont été mises de côté lors d'un achat précédent puis replantées dans un bac Riviera. La plante réclame des soins minutieux. Les plus maniaques éclairent leurs plants au néon pour qu'ils poussent mieux. L'amateur d'herbe méprise la française, jugée médiocre. Pourtant, la qualité des graines plantées et le dévouement du cultivateur réservent parfois de bonnes surprises.

Origines et qualités

2 / Le shit

Le shit est une résine extraite des fleurs et des petites feuilles du cannabis. A l'origine, les cultivateurs la recueillaient dans la paume de leurs mains après y avoir frotté la plante. Puis ils agrégeaient les boulettes ainsi obtenues en les mêlant à un corps gras. Aujourd'hui, la production est plus industrielle et personne hormis les cultivateurs eux-mêmes, ne fume de ce haschich-là.

Son aspect varie selon les régions d'origine et en fonction du mode de production. Sa couleur par exemple, noire, jaune, rouge, verte... est due aux corps gras avec lesquels on agrège les boules de résine.

A l'origine, fabriqué au Cachemire et en Afghanistan, le shit est de deux à dix fois plus puissant que l'herbe avec laquelle il est fabriqué. Il contient donc en moyenne 10 % de THC. Mais les variations sont importantes, et la puissance des effets n'exclut pas la simple suggestion psychologique.

L'Afghan

Sa couleur est une sorte de « label qualité » : la crasse et la graisse animale l'ayant rendu très noir et parfumé, il semble avoir été fabriqué artisanalement. Il donne au shitman le sentiment d'être passé directement de la paume du rebelle afghan à celle de son dealer. Cependant, il est devenu très rare sur le marché, la majeure partie de la production étant consommée par l'Armée Rouge. Le vieux fumeur des années 70 le regrette en soupirant parce que :

1) « c'était le meilleur » :

2) « en fumer, c'est quand même soutenir la résistance plus utilement qu'en envoyant un chèque »

3) il est obligé maintenant de fumer du « libanais » et il ne sait plus exactement quelle cause va soutenir son billet de 100 F.

Puisque l'herbe avec laquelle on le fabrique contient en moyenne 3 % de THC, sa teneur est de 30 %. Il faut payer trois fois plus cher pour en obtenir : il est donc très imité.

Le Libanais

Étant donné les circonstances très troublées qui règnent au Moyen-Orient, il est difficile de distinguer l'authentique shit libanais de son petit frère syrien. Il est marron-vert foncé et très gras.

– Teneur en THC : env. 20 %.

Le Marocain

Plus clair d'aspect, il est, bien qu'interdit, presque en vente libre sur place. A Marrakech, par exemple, on en propose aux jeunes touristes à la porte de tous les hôtels. Calibré comme les huîtres selon sa qualité, on distingue : le normal, le « zéro », et le « double zéro ». Excepté la dernière catégorie, il est de qualité moyenne.

– Teneur en THC : env. 15 % (le 00 atteint les 20 %).

Le joint

La façon la plus commune de consommer l'herbe ou le shit est de les fumer. A cet effet on confectionne une cigarette spéciale appelée « joint ». Ce terme est aujourd'hui un peu désuet et tend à être remplacé par celui de « pétard », sans doute à cause du caractère explosif du mélange. Cette coutume, très répandue en France, paraît barbare aux Américains, chez qui seuls les noirs fument des joints.

La confection de cette grosse cigarette conique où la drogue est mélangée au tabac est le premier rite d'initiation du shitman.

Le mélange

C'est le contenu du joint. Sur un support bien lisse (couverture de magazine ou pochette de disque...) on mélange l'herbe (ou le shit) avec du tabac. On utilise généralement une cigarette blonde pour préserver la saveur du stupéfiant. La marque choisie varie selon le type de consommateur. Par exemple, la mode aujourd'hui est aux cigarettes légères (c'est pas parce qu'on fume du shit qu'on a envie d'attraper un cancer) du type Rothmans Rouges. Mais le vieux shitman n'en utilisera jamais : c'est du tabac d'Afrique du Sud et d'ailleurs, il est trop attaché à ses Camel sans filtre.

Le filtre

C'est un petit tube de carton que l'on place au bout du joint. Le choix du carton a lui aussi son importance :

– un ticket de métro usagé (très désuet et parisien);

– un morceau du rabat du paquet de feuilles à rouler. Mais, le vrai shitman a consommé le rabat avant d'avoir épuisé ses réserves de feuilles. Il doit alors se rabattre sur :

– les ailettes intérieures de son paquet de cigarettes rigide (plan * discret);

– un morceau de couverture d'un manuel scolaire (plan destroy);

– un morceau de cigarette, la fumée sera plus filtrée (plan fille).

Le grand raffinement, aujourd'hui disparu, consistait à incorporer dans le filtre une boulette de papier aluminium qui faisait soupape et évitait au fumeur d'avaler des particules de tabac.

Le corps du joint

C'est un savant assemblage de feuilles de papier à rouler. Il existe des variantes à deux, trois feuilles et plus selon la dextérité du shitman. Le « deux feuilles » est aujourd'hui le plus répandu.

N. B. Il existe également du papier grand format vendu dans tous les bureaux de tabac. On ne voit d'ailleurs pas bien quel autre usage il peut avoir si ce n'est de simplifier la vie du rouleur de joint peu habile.

Le roulage

C'est l'opération la plus délicate. On place le filtre à l'extrémité du papier dans lequel on répand le mélange. Puis on roule le tout comme une cigarette normale. Cette opération est simple en théorie mais pose bien des problèmes au néophyte. Essayez vous-même avec du tabac et vous verrez que ce n'est pas si simple! Si vous n'avez pas très bien compris le schéma de montage, il y a certainement un ami de votre fils qui pourra vous l'expliquer!

Finitions

Tel Davy Crockett avec son mousquet, le shitman tasse le mélange au fond du joint. Puis il rabat soigneusement le papier qui dépasse. Ainsi muni de son chapeau, le joint est bien hermétique et aisément transportable (au bureau, au lycée, à la caserne...)

Les galères du débutant

L'apprenti shitman va rencontrer de multiples occasions d'en baver. Parmi les grands classiques citons :

– le filtre qui se bouche, se détache...

– le papier qui se décolle, laissant échapper sa précieuse cargaison sur la moquette et la braise sur le pull-over...

– le joint qui se consume plus lentement côté couture...

Même les plus confirmés ne sont pas à l'abri des galères. Par exemple, la pénurie de papier à rouler qui oblige à vider intégralement une cigarette pour la re-remplir avec le mélange.

L'allumage

C'est l'instant culminant du rituel. Les artistes brûlent les bords du chapeau afin de le détacher. Allumer le joint, comme le calumet des Indiens, est un honneur : la tradition veut que celui qui roule ne soit pas celui qui allume. Par galanterie, ce rôle est souvent imparti aux filles qui généralement refusent. Parce qu'il faut aspirer plus fort, les premières bouffées sont celles qui font le plus d'effet. Si on n'est pas habitué on risque d'être « raide def » (très défoncé voir p. 47). Une fois allumé, le joint « tourne », chacun le passe à son voisin. Parfois on ne tire qu'une bouffée, le jeu consistant à « faire tourner » le plus vite possible et à garder la fumée jusqu'à ce que le joint revienne (c'est une pratique un peu désuète). En revanche, le shitman qui garderait trop longtemps le pétard serait accusé de « bogarter » (du nom d'Humphrey Bogart, célèbre acteur américain apparaissant toujours à l'écran avec une cigarette au bec).

Le stick

Non conique, cette cigarette d'herbe ou de hasch est destinée à la consommation individuelle ou en couple. Elle offre en plus l'avantage de la discrétion. C'est sous cette forme que les Américains, grands pionniers de la marijuana, consomment l'herbe pure. En bout de course, le stick pose un problème : il s'éteint tout le temps. Le rallumer sans se brûler le nez est un exercice périlleux qui donne lieu à des contorsions assez comiques. Il devient aussi très difficile de le tenir sans se chauffer les doigts. On utilise alors une pince à épiler. Le raffinement consiste à le rouler avec un papier spécial, venu d'Angleterre, dans la trame duquel est inclus un mince fil de fer qui permet de tenir le stick par l'autre bout. Réduit à une longueur d'un millimètre et demi, il est finalement abandonné.

N. B. Mieux vaut éviter de céder à cette pratique chicanos * qui consiste à gober le mégot pour être encore plus défoncé. L'effet n'est pas garanti et, en France, il est mal vu dans les salons.

Confitures et gâteaux

L'absorption du shit par voie orale fut très à la mode dans les années 70. Cette pratique a aujourd'hui perdu beaucoup de terrain. Les Hare-Krishna, secte de rasés en sari de bonze avec musique dans la rue, étaient réputés proposer en plus du Nirvâna, des parts de gâteau au shit. On ne compte plus le nombre de saloperies mangées ainsi sur les trottoirs du Quartier Latin, à la recherche d'un hypothétique effet.

Comme en matière de parfum, les corps gras retiennent en eux le THC, substance active de l'herbe et du shit. Par exemple, boire du lait entier qui a bouilli avec de l'herbe provoquera le même effet que si on l'avait fumée. Ainsi ce qu'on nomme « confiture » a, en fait, toutes les apparences d'un beurre de cacahuète. La drogue est incorporée à du beurre fondu puis mélangée à du sucre. La confiture, c'est l'escalade, le cercle vicieux : le shit ou l'herbe absorbés renforcent le goût pour les sucreries. Plus on en consomme, plus on est défoncé, et plus on trouve ça bon. On peut ainsi liquider un pot sans s'en rendre compte.

Que se passe-t-il quand on fume un joint ?

Après quelques bouffées, on est raide * (drogué!). Si on insiste, on sera raide def * (complètement défoncé).

Vus de l'extérieur, quelques symptômes physiques permettent de vérifier aisément que le pétard fait effet :

– la gorge est sèche;

– les yeux sont rouges. Parfois le blanc de l'œil est marbré de vaisseaux sanguins éclatés;

– un sentiment d'euphorie se manifeste sous sa forme la plus simple : le rire;

– on est « stoned », ce qui en anglais signifie que l'on est cloué au sol comme une « pierre »;

– on peut néanmoins se lever facilement, ce qui constitue toujours une surprise et tend à démontrer que cette sensation de lourdeur n'est forte que pour autant que l'on y cède;

– on ne perd jamais le contact avec la réalité. Le shitman sous influence demeure tout à fait sociable. On trouvera plus loin la description détaillée de cette sociabilité (voir : le shitman et les autres).

N. B. Il est néanmoins facile pour le shitman un peu expérimenté de contrôler certains effets. Si l'on prend l'effet « STONED » décrit ci-dessus par exemple, le shitman peut facilement inverser le phénomène d'écrasement par une autosuggestion adéquate :

1) il lui suffit de fermer les yeux et de se persuader qu'il s'enfonce dans le sol (facile);
2) mais le sol n'étant qu'une fine membrane, il est en fait très aisé de passer au travers;
3) il plonge alors dans l'espace qui se trouve de l'autre côté, l'espace n'ayant après tout ni de haut ni de bas, comme l'a montré Galilée;
4) ces directions ne sont fonction que de l'objet qui s'y déplace (c'est-à-dire du shitman lui-même);
5) stoned devient alors « planed ».

Le monde à l'envers

ATTENTION : la transformation du réel que nous allons décrire n'a rien à voir avec celle qu'on se représente d'habitude lorsqu'on ne connaît rien aux effets des drogues : elle ne fait intervenir ni monstres verts ni pachydermes colorés mais joue sur le registre du *sens*, de la *signification* du réel. Ajoutons que, bien que certains shitmen fument toute la journée, le cannabis n'engendre pas de dépendance. Dans l'état actuel des recherches scientifiques, on ne connaît pas les conséquences pathologiques d'une forte consommation de cannabis.

Les choses les plus simples vont subir de profondes mutations, à la mesure des perturbations causées dans le système nerveux par le THC.

Le temps perturbé

Le sentiment de la durée devient parfaitement élastique. Il n'est plus fonction des actes que l'on accomplit mais de l'attention plus ou moins grande que l'on y porte. A tel point qu'il occulte totalement le temps objectif des horloges (heures, minutes, secondes).

Le sentiment de la consécution s'émousse lui aussi. Cela se traduit par une baisse sensible de la faculté de finaliser mentalement et même physiquement une action. Ainsi, l'effort d'attention déployé pour ouvrir une porte suffit à faire oublier pourquoi on voulait sortir de la pièce. Ce phénomène que nous qualifierons de « perturbation cybernétique » est plus connu sous le nom d'« absence de suite dans les idées ». Coordonner des pensées ou des actions *distinctes* devient particulièrement ardu comme en témoigne *l'expérience de l'œuf* que nous avons reconstituée pour vous ci-dessous.

L'expérience de l'œuf
ou
la recette de l'œuf dur

Prenons un œuf et accommodons-le à la coque. Pour y parvenir il faut, comme chacun sait, arrêter impérativement la cuisson au bout de trois minutes.

Cette opération simple est soumise dans l'esprit du shitman a un phénomène de dichotomie tout à fait intéressant :

Soit : il accorde toute son attention à l'œuf.
Cela risque de l'entraîner dans des considérations aussi passionnantes que variées : le mystère de la naissance et de la vie, l'organisation de l'univers, Christophe Colomb, la forme ovoïde du crâne de sa voisine qu'il n'avait jamais remarquée...

Soit : il s'applique à surveiller le temps de cuisson mais s'attache en fait au mouvement de la trotteuse, qui procède par petites impulsions, tic-tac, toutes les secondes, n'arrêtant pas de tourner autour d'un axe, situé manifestement au centre du cadran...

Dans tous les cas, un œuf n'ayant rien à voir avec l'idée de temps, ni avec celle de trois minutes, il le mangera *dur.*

La coince

C'est l'effet précédent porté à son paroxysme.

Vu de l'extérieur

Le shitman est profondément enfoncé dans un fauteuil (ou dans la moquette) et la TV diffuse un western dont il a raté le début pour des raisons qui demeurent obscures. Il est dans la position idéale pour « coincer ».

Soudain, il paraît très absorbé par ce qui se passe à l'écran. Il s'immobilise et se tait...

Pour l'entourage, cet effet « nature morte » est très communicatif : après quelques secondes de ralenti, tout le monde passe en « arrêt sur image ».

La situation pourrait s'éterniser...

Mais, comme il arrive fréquemment, un bruit, un mouvement, viennent perturber ce paysage et détourner l'attention du shitman. Souvent, c'est un autre spectateur qui n'a pas bien suivi et réclame des précisions : qu'a fait au juste Gary Cooper pendant ces quelques minutes d'intense suspense?

Le shitman doit alors avouer qu'il n'en sait absolument rien. Il était en suspens lui aussi, mais assez loin de Gary Cooper. Il « coinçait ».

La coince

Vu de l'intérieur

Pourtant, le shitman a suivi le film pas à pas, mais de trop près.

Comme les images se renouvellent sur l'écran vingt-quatre fois par seconde, elles se chassent l'une l'autre au même rythme dans l'esprit du shitman.

Aussi, à chaque instant, il sait ce que fait G. Cooper, mais il ne s'en souvient plus l'instant d'après, G. Cooper n'étant pas homme à rester inactif.

Remarque. Le shitman voit donc le cinéma tel qu'il est en réalité : constitué de milliers d'images fixes sur lesquelles Gary est aussi immobile que lui.

En fait, le shitman subit un arrêt momentané de ses fonctions intellectuelles et musculaires. Le phénomène de coince s'explique par une prégnance très forte de l'immédiat, de l'ici et maintenant, qu'on peut mettre en rapport avec une hausse sensible de la réceptivité à tout ce qui est sonore et visuel.

Le sens perturbé

« Ainsi, je contemplais (...) avec un sentiment inouï d'humour, la carte de l'Argentine étalée par hasard devant moi, un dictionnaire en tombant s'étant ouvert à cette page. Sans bouger, prodigieusement amusé, je savourais le comique exorbitant de la forme de ce pays, qui, je l'avoue, m'avait jusque-là parfaitement échappé et qui le surlendemain à nouveau m'échapperait complètement.

Même en pleine appréciation de ce comique, je ne faisais que vaguement pressentir ce qui mettait ce pays à part de tous les autres. Rien d'argentin non plus ne me venait à l'esprit. Simplement, dans une sorte d'extase du ridicule, je m'enfonçais en silence dans sa forme ineffablement cocasse, malheur dont ce pays, qui méritait mieux, me parut ne devoir jamais se remettre. »

HENRI MICHAUX, *Misérable Miracle.*

Cet extrait illustre parfaitement comment le regard porté sur l'activité quotidienne est modifié quand on fume. Les manifestations les plus immédiates et les plus visibles de ces « effets de sens » sont :

la perturbation du langage. Le shitman commet de nombreux lapsus, à la grande joie de son entourage.

L'impossibilité de lire. Hormis les magazines abondamment illustrés du type *Actuel* ou *Création* (magazine de pub) et les BD en tout genre : de Tintin à Kébra, rien ne trouve grâce à ses yeux. Les dictionnaires, s'ils amusaient Michaux, sont avantageusement remplacés pour le commun des fumeurs par la lecture du *Livre des records* (poésie de l'absurde concentré *en tube*).

Une modification sensible du comportement. L'herbe et le shit autorisent un sérieux recul sur soi et provoquent une sorte de dédoublement de la personnalité, l'impression d'être mis en scène. Ce regard distancié est souvent confondu avec le statut de l'artiste à la portée de tous. De nombreux shitmen ont des prétentions artistiques. Les velléités tiédissent à l'épreuve des faits. N'est pas Baudelaire ou Michaux qui veut et il ne suffit pas de posséder une guitare pour être un John Lennon. Cette dure constatation incite le shitman à s'en fumer un autre.

Canal herbe et TV shit

L'effet Média

Quand on veut recevoir une chaîne de télévision à péage diffusant un programme spécial (musique, cinéma..) il faut s'abonner et user d'un décodeur. De la même manière, le shit agit comme un décodeur qui permet de capter *différemment* l'information et les signaux diffusés par le monde environnant. En cela, herbe et shit sont des médias. Comme la TV, ils relaient les images, les mots émis alentour et les restituent selon des codes, des cryptages qui leur sont propres. L'information, ainsi passée au crible du THC, subit une transformation analogue à celle que n'importe quel média fait subir à la réalité.

A ceux qui objecteront que les médias ne déforment pas la réalité, nous répondrons que :
les images en noir et blanc d'une télé ne sont pas plus « naturelles » que le perpétuel sourire de Sabatier, le ton guindé d'un discours politique, ou même les incroyables aventures de Scarlett O'Hara, d'Albator... Mais nous sommes tellement habitués aux conventions cinématographiques, publicitaires, aux multiples langages qui régissent notre imaginaire et notre vie sociale que nous ne les voyons plus. Personne ne remarque plus combien il est arbitraire de rouler à droite plutôt qu'à gauche.

L'effet Tex Avery

La transformation que le shit fait subir à la réalité est inverse : l'arbitraire des conventions va sauter aux yeux du shitman et lui paraître absurde. D'où :
le ton infiniment comique d'une formule de politesse dégagée de son contexte;

des mots aux sonorités particulièrement stupides (cacahuète, slip...).

En voyant un film TV un peu stupide, le ton conventionnel des dialogues lui paraîtra tellement affecté et peu naturel, que le shitman va se demander :

1) si les acteurs jouent sérieusement,
2) comment ils font pour ne pas, comme lui, éclater de rire à chaque réplique,
3) comment ils font pour y croire.

De là vient le succès, auprès des shitmen, de Tex Avery. Les dessins animés de ce réalisateur puisent leur comique dans un jeu analogue avec les conventions de la fiction : un personnage s'adresse directement au dessinateur, un présentateur continue son show, sourire figé, malgré les catastrophes les plus délirantes qui le perturbent. C'est du Guy Lux à la puissance mille. Avec le shit, pas besoin de dessinateur, l'effet est obtenu à l'aide d'un pétard et d'un show habituel du même Guy Lux (ou de n'importe qui d'ailleurs, pourvu que le ton soit un peu convenu ou pincé). On aura compris que seuls les plus décontractés, Polac, feu TV 6 (sniff!) ou Christophe de Chavanne y échappent.

L'effet Bergson

Bergson expliquait que le rire était déclenché par la superposition de deux univers différents : l'homme privé, par exemple, se superpose au personnage public lorsque par malheur il se gratte les fesses pendant un discours. Le shit produit le même effet :

1) parce que les capacités de synthèse du shitman sont en nette régression (cf. la Coince), il isole une

convention particulière qui ne prend normalement son sens que dans son contexte (le sourire de Sabatier dans Porte-Bonheur).

2) parce que, une fois dégagée de son contexte et donc vidée de son sens, elle se superpose de façon comique au sens qu'elle a d'habitude et que le shitman n'a pas oublié (le shit ne fait pas totalement perdre le contact avec le réel, il dédouble, décale). Ainsi, le shitman aura tendance à croire que Sabatier se paye publiquement la tête de ses invités, alors qu'il ne fait que partager leur bonheur.

Par exemple, les règles de politesse veulent qu'on ne fasse pas remarquer à son interlocuteur qu'il a un GROS nez, puis elles finissent par le faire oublier, même si cela saute aux yeux au premier abord.

Or, le shitman se demandera comment on peut discourir sérieusement, comme si de rien n'était, avec quelqu'un affecté d'une telle péninsule et comment celui-ci fait pour conserver son sérieux. On voit que le shit peut constituer un obstacle sérieux à la crédibilité de certains hommes politiques.

L'effet des effets

En résumé, on peut affirmer que les effets du shit ne sont pas sans conséquences sur la mentalité, le comportement ou les goûts du shitman et ainsi modifient la société entière en proportion du nombre et de l'influence des shitmen qu'elle abrite.

1) L'effet média, en révélant au shitman le côté absurde de certaines conventions, en a fait quelqu'un de COOL, décontracté. Favorisant les associations d'idées, et les analogies plutôt que les déductions logiques, cet effet généralise la caricature, le comique absurde.

2) Les effets Bergson et Tex Avery alimentent son goût pour le x-ième degré. Il a redécouvert des divertissements tombés en désuétude et réservés aux enfants ou à ses grands-parents (cirque, Moulin Rouge... Voir p. 66).

« J'ai oublié de dire que le haschich causant dans l'homme une exaspération de sa personnalité et en même temps un sentiment très vif des circonstances et des milieux, il était convenable de ne se soumettre à son action que dans des milieux ou des circonstances favorables. »

BAUDELAIRE, *Op. cit.*

Le shit est-il mortel ?

Oui, d'un strict point de vue médical. Si l'on fume 1,5 kg de haschich d'un seul coup, on meurt. Étant donné la taille de leur cage thoracique, vos enfants sont à l'abri de tels accidents. Seul un Zino Davidoff pourrait peut-être accomplir un tel exploit. Prière d'écrire au livre Guinness des records.

Par contre, de 1936 à 1948 le shit a bel et bien été mortel. La marginalisation du cannabis doit beaucoup à Harry J. Anslinger, fondateur du bureau américain des stupéfiants. En 1936, il écrivit un article qui fit sensation. Nous ne pouvons résister au plaisir de vous en livrer un extrait. Après avoir lu ce chapitre sur le cannabis, ce n'est pas aux seuls fumeurs de joints qu'il apparaîtra d'un « comique exorbitant » !

« Le corps désarticulé d'une jeune fille s'est écrasé sur le trottoir l'autre jour après un plongeon du cinquième étage d'un meublé de Chicago. On déclara qu'il s'agissait d'un suicide mais en réalité c'était un meurtre. L'assassin était un stupéfiant connu autrefois sous le nom de haschich et qu'on appelle en Amérique la marijuana. Ce stupéfiant, peu connu jusqu'aujourd'hui aux États-Unis se consomme sous la forme de cigarettes et est aussi dangereux qu'un serpent à sonnettes. On ne peut que se perdre en conjectures sur le nombre de meurtres, de suicides, de vols, d'escroqueries, d'actes de folie maniaque qu'il provoque chaque année, en particulier chez les jeunes. La progression rampante et sournoise de ses adeptes passe inaperçue et ne rencontre pratiquement aucune résistance, tant est grande l'ignorance de ses effets *(sic)*. C'est cela l'inconnu en matière de stupéfiants. Personne ne peut prédire leurs effets. Nul ne sait, au moment où il introduit une cigarette de marijuana entre ses lèvres, s'il va se transformer en philosophe, en un joyeux fêtard évoluant dans un paradis musical, en un dément, un sage ou un meurtrier. Chaque Américain, homme ou femme, est concerné car les propagandistes de ce poison ont choisi la jeunesse comme terrain d'élection. »

En 1948, quatre ans après la publication du rapport La Guardia qui réfutait ses anciennes thèses, Harry J. Anslinger changeait de stratégie. Il déclarait devant le Congrès que : « (la marijuana) rend ses usagers si tranquilles et si pacifiques que, dans le futur, les jeunes Américains ne voudront plus se battre dans nos guerres. »

Qui fume ?

Aucun outil statistique ne permet de dresser une typologie détaillée des usagers. Désigner tel groupe plutôt que tel autre serait une simplification abusive et dangereuse. On peut en revanche souligner que le cannabis est la première drogue à avoir touché en masse deux générations. Démocratisé dans les années 70, il n'est plus aujourd'hui l'apanage de marginaux. La grande majorité des moins de quarante ans a eu au moins une fois l'occasion de tirer sur un joint.

Les vieux

Certains jeunes qui fumaient voici une quinzaine d'années sont aujourd'hui devenus des parents et n'ont pas perdu leurs vieilles habitudes. L'herbe et le shit s'inscrivaient alors dans un contexte socio-historique différent. La révolte sociale, la contestation, intégraient l'usage des drogues douces dans une contre-culture. Fumer, c'était transgresser un interdit beaucoup plus radicalement qu'aujourd'hui. Analyser la marginalité de nos grands frères ne nous intéresse pas. Il est soit trop tard (des myriades d'ouvrages et de témoignages balisent déjà le sujet : du *Do it* de Jerry Rubin, à Timothy Leary, Castaneda...), soit trop tôt (laissons macérer une bonne vingtaine d'années avant d'ouvrir ces abîmes idéologiques à l'historien).

Nous n'envisagerons donc les vieux consommateurs qu'à travers le regard de leurs enfants. Leur position vis-à-vis des pratiques de leurs aînés est très tranchée. Le shitman d'aujourd'hui se contente de rejeter ou d'intégrer le modèle ancien, quand il ne pense pas être le premier à avoir découvert le shit pour la deuxième fois!

Les antimodèles

Ce que le shitman d'aujourd'hui rejette en bloc c'est le parcours de l'ancien combattant. Plus question de fumer pour oublier le Viêt-nam et cette « société de merde qui nous aliène ». Initié par un copain revenu d'Algérie la musette pleine de kif, cet antimodèle était marxiste-léniniste ou libertaire, au mieux grand psyché. Cette mentalité l'a conduit à une marginalisation radicale.

Ces vieux-là sont aujourd'hui devenus :

1) *ruraux :* grands partisans du retour à la terre, membres d'une secte ou d'une communauté, ils sont aujourd'hui totalement OUT. Le shitman moderne les croirait disparus pour de bon, s'il n'avait de temps en temps l'occasion de fumer leur production.

Au fond, ils continuent à fumer pour supporter la vie aux champs.

2) *vieux intellos :* ont fumé la première fois « pour l'expérience ». Adolescents attardés, une partie d'entre eux s'est reconvertie dans le « socio-cul » par amour de la jeunesse. Ils connaissent sur le bout des doigts les œuvres complètes de Dylan Bob et Kerouac Jack. Honteux d'aimer la musique californienne et Pierre Henry, ils se sont rabattus sur Michel Jonasz qui fait un Léo Ferré new look acceptable.

Au fond, ils continuent à fumer pour oublier le romancier qu'ils ne sont jamais devenus.

3) *décalés complets :* ils ont TOUT FAUX. Restés fidèles à leur image première, ils continuent à porter des badges « Legalize it » (« Légalisez la » marijuana) en se croyant malins. Gotlib les fait toujours rire. Entrés dans la tranche « nouveaux beaufs », ils attendent avec désespoir le mercredi où, pour huit francs, leur avenir se joue au Loto. Derniers survivants de la section « Agit Prop » de la MJC locale, ils assurent le samedi les permanences de l'atelier sérigraphie. Après une période Hard-Rock se sont remis au Jazz (le dernier Herbie Hancock les déçoit beaucoup). Les plus décalés (et les plus complets) sont entrés

aux PTT après leur dernier rapatriement sanitaire *.

Au fond, ils continuent à fumer pour oublier le poids de la sacoche.

Les modèles

Le vieux shitman qui a réussi est souvent d'extraction maoïste. Il a su transformer le décalage engendré par l'herbe et le shit en un véritable business. Généralement, il exerce son activité dans le domaine des médias et de la communication (voir pourquoi p. 52). *Libération* et *Actuel* sont des émanations exemplaires de cette mentalité de décalage dont le shit est UN des éléments constitutifs. Dans *Libé*, les titres jeux de mots, les surtitres qui détournent le sens des articles, manifestent cet esprit. Vis-à-vis du cannabis, ce type de journaux a institué une nouvelle complicité culturelle. On ne le défend plus comme aux beaux jours de la « contre-culture », on en parle par allusions plus ou moins complaisantes et surtout, on en récupère certains effets comme principe de présentation de l'information (voir l'annexe : *La drogue est-elle partout ?*).

Ces nouveaux urban-businessmen adorent Talking Heads et Cioran (le dernier écrivain dont le cynisme parvient à épater ces grands blasés). Il n'y a pas que les clins d'œil sur la dope qui les fassent rire, mais aussi le Splendid et Farid Chopel, qui réincarne à lui tout seul Roger Pierre et Jean-Marc Thibaud.

Tous ces chefs d'entreprises, patrons de presse ou publicitaires, ne fument pas pour décompresser mais pour avoir encore des idées.

Au fond, ils continuent à fumer pour supporter la veste retournée qui les gratte de l'intérieur.

Les jeunes

Le shitman d'aujourd'hui n'appartient plus à une caste à part, une avant-garde contestataire et marginale. Des non-fumeurs pourront tout à fait fréquenter des shitmen sans être exclus du groupe. Les drogues dures, au contraire, n'admettent pas de non-initiés dans leur circuit. Herbe et shit ne bouleversent pas la sociabilité, on fume seul quand on est seul et avec les autres en société. Seuls les jeunes qui découvrent le shit se réunissent spécialement pour en consommer lors de « drug-parties » appelées « chouilles ». Sinon, consommer du shit, ce n'est plus transgresser un interdit, tant cette pratique s'est banalisée. Fumer modifie seulement les rapports du shitman avec son entourage et favorise certaines activités : les plans.

Le shitman et les autres

On a vu que l'herbe et le shit sont des médias. Les relations du shitman avec les autres en sont affectées et vont elles aussi être codées. Passé au crible du THC, chaque geste, chaque mot sera perçu sous un angle très particulier. Ses relations avec les autres ne seront jamais indifférentes. Lorsqu'il sera raide, il versera sans nuance dans l'euphorie et la complicité la plus totale avec un inconnu comme dans la crise de paranoïa la plus noire.

Le flip

Quand fumer c'est l'angoisse. C'est ce qui peut arriver à des gens qui fument pour la première fois et appréhendent des effets qu'ils ne connaissent pas. Ils vont les combattre, et leur résistance va engendrer la peur. C'est le cercle vicieux : plus ils résistent, plus cette peur augmente.

Par exemple, le sentiment d'irréalité habituellement bien admis (comme une fiction temporaire) se transforme en un véritable cauchemar. L'usager craindra de ne plus jamais retrouver le monde « normal », celui des autres, celui d'avant le joint. Aux prises avec un problème que personne ne peut comprendre, que lui-même ne peut exprimer, il se sentira subitement tout seul. Il aura le sentiment d'avoir franchi la barrière la plus absolue : celle de la folie. Une seule solution : se coucher avec un bon somnifère.

L'autre cas de figure est l'interrogation métaphysique. Qui suis-je ? Que fais-je dans ce monde ? Au fond, qui sont tous ces gens par rapport à moi ? Et ces personnes assises autour de la table, qui se disent ma « famille », ne sont-elles pas des étrangers, n'importe qui ?

Mauvaises vibrations

La parano

Ce sentiment est le plus souvent provoqué par la proximité d'un entourage qui ne fume pas. Qu'il s'agisse du lycéen qui va dîner en famille complètement stoned* ou du gai luron raide-def* qui débarque à un rendez-vous professionnel, l'effet de malaise est assez souvent garanti. Si dans un premier temps, la réaction d'autrui pourra amuser le fumeur, il se sentira bien vite isolé et aura surtout à chaque instant l'impression que son état se voit, que les autres se rendent très bien compte qu'il est défoncé (ce qui est généralement faux). C'est l'impossibilité dans laquelle il se trouve de faire partager son euphorie, la nécessité de contenir à tout prix son hilarité et l'incompréhension assurée des autres, qui le font basculer dans la paranoïa. Le shitman va même finir par douter de ce qu'il a vu ou entendu.

Par exemple, ses parents lui disent : « Si tu veux, il y a du pigeon au réfrigérateur. » Cette nouvelle incroyable le fait rire aux larmes mais personne ne comprend pourquoi. Lui, est persuadé d'avoir mal entendu et compris « pigeon » au lieu de « jambon ». Qu'il puisse y avoir un pauvre pigeon recroquevillé, transi de froid dans le réfrigérateur, lui paraît aberrant. Mais il n'osera demander s'il y a réellement du pigeon, de peur que cette suggestion ne paraisse grotesque ou saugrenue et ne trahisse son état.

Entre fumeurs

Mais la parano peut également se développer entre les shitmen eux-mêmes. Un mot mal compris pendant la discussion se charge soudain d'un sens menaçant et suffit à persuader le shitman que l'autre se moque de lui. Il va réinterpréter chaque parole, chaque geste en ce sens. Le plus inoffensif des dealers peut ainsi devenir en moins d'une seconde un redoutable limier de la brigade des stups, prêt à lui passer les menottes.

Le délire de persécution

Ce malaise peut dégénérer en un véritable délire de persécution : c'est la paranoïa du gros fumeur. Une sociologie hâtive lui fera voir des flics (en civil) partout. Ou alors, il va si bien cacher son shit qu'en ne le retrouvant pas, il sera persuadé que ce sont ses parents qui le lui exhiberont lors du prochain dîner. Que rien ne se passe sera pour lui un nouveau sujet d'angoisse : « ils me réservent la surprise pour le dessert! »

Bonnes vibrations

La parano « stupéfie » le shitman, le paralyse de trouille à cause d'un impossible dialogue avec son entourage. Mais, lorsqu'il se trouve avec d'autres shitmen dans une situation et un décor qui lui plaisent, il va ressentir l'effet contraire, celui appelé « bonnes vibrations ». Cet effet, allié aux autres, le prédispose à des activités ludiques variées qu'on appelle « les plans ». C'est la typologie de ces activités que l'on peut dresser, et, ainsi, révéler en creux celle des usagers.

L'effet bonnes vib'

Parce que le shit est un émetteur-récepteur qui relaie l'information (effet Média, voir p. 52), la réunion de deux ou plusieurs shitmen peut prendre les allures d'une conférence vidéo. Les shitmen sont alors :

- « sur la même longueur d'onde »
- « sur la même fréquence »
- ils pensent la même chose au même moment
- et ils allaient *justement* le dire!

Cet effet « vibratoire » dont on a fait un grand mythe des années 70 n'a rien de tellement mystérieux :

on peut comparer une réunion de shitmen à l'équipe d'un journal, dont tous les collaborateurs sont animés d'un même esprit et qui traiteraient l'information venue du monde entier en la passant au crible de ce parti pris politique ou esthétique commun. Les personnes avec qui on a de bonnes vibrations en ayant fumé, sont ceux qui respectent la « ligne ». Il est certain que le shit, *seul,* ne suffit pas à créer cette communauté d'esprit, n'annule pas tous les antagonismes qui existent par ailleurs : un trotskiste fumant avec un jeune RPR risque de ne pas ressentir de « bonnes vibrations », malgré leur état de défonce identique. (La seule chose qu'ils éprouveront en commun sera peut-être un flottement momentané de leurs convictions politiques respectives dû à « l'effet Bergson », voir p. 53).

N. B. Cette « ligne » est rarement droite et, en général, la transformation opérée sur l'information par le shit est plus dans le style de (feu) *Charlie Hebdo* ou *Zéro,* que dans celui du *Figaro* ou de *L'Humanité.*

Les plans défonce

Pas de bon plan sans bonnes vibrations. Quand le shitman « bon esprit » savoure pleinement les effets « positifs » du produit, il peut alors échafauder des « plans ». Le shit modifie la perception du monde. Grâce à ce changement de décor et d'univers, le shitman, comme dans un jeu de rôle, va se mettre en situation. Ses actions et ses relations avec les autres se modifient en fonction des codes (un peu étranges mais tout à fait conformes à ce qu'il ressent) qui régissent cet univers.

C'est ce qu'il appelle un plan. On désigne ainsi des activités diverses, généralement choisies pour leur caractère ludique et sur lesquelles le shitman se concentre plus ou moins longtemps (selon la qualité de ce qu'il a fumé) avec toute l'obstination et l'attention dont il est capable (voir la Coince p. 49). L'énumération de ces plans permettra de cerner le « système de valeurs », l'univers culturel du shitman. S'il y a des constantes directement dues aux effets du shit (fringale, ciné, TV, musique), ces données sont toutefois soumises aux variables que sont les individus, leur milieu d'origine, leur famille.

Le plan délire

Ne peut pas se faire seul. Les shitmen réunis se font un délire. En clair, ils surenchérissent à propos de tout et n'importe quoi. Au fil des interprétations, des impressions et malentendus échangés, *Autant en emporte le vent* se transforme en film des Marx Brothers, les vœux de Noël du Président en incitation à la débauche, et la vieille 2 CV de Babal * en vaisseau intergalactique au chocolat... (le contraire se produit rarement et vice versa).

– Ce plan s'interrompt lorsque toutes les variations possibles ont été épuisées (ou, parce que Babal dit qu'il a faim. Voir plan « munchies » p. 67).

Le plan cadavre exquis

Jeu d'écriture inventé par les surréalistes. Tour à tour, sur une feuille, chacun écrivait une phrase qu'il cachait en repliant le papier pour que le suivant ne puisse pas la voir. Cela donnait un enchaînement de phrases passant du coq à l'âne et un résultat plus ou moins heureux. La communication entre shitmen prend souvent des allures de cadavre exquis. Aucun d'eux n'étant sur la même longueur d'onde, ils parlent tous de choses différentes MAIS se comprennent très bien. Parce que chacun est totalement absorbé dans son propre décalage, que chacun entend le discours de l'autre en fonction de son propre discours, le quiproquo peut durer aussi longtemps qu'une pièce de boulevard.

– Ce plan s'interrompt lorsqu'une absurdité plus criante que les autres *émise pourtant en toute logique* par un des participants, leur fait soudain comprendre qu'ils ne se sont jamais compris. Ils répétaient du Ionesco (ou parce que Babal dit qu'il a faim. Voir plan « munchies » page suivante).

Plan enfance

Nul besoin de tremper sa madeleine pour que soudain, l'enfance du shitman ressorte « ville et jardins, de sa tasse de thé ». Un bon pétard suffit! La reconstitution (forme abjecte de la réminiscence, hélas la seule à la portée du shitman) s'appuiera sur diverses pratiques :

– à la recherche des goûts perdus de l'enfance : sucreries, barbe à papa, chocolat chez Angelina (shitman de bonne famille uniquement)...

– retour sur les lieux du passé : le zoo, le cirque (la même chose en plus hard *) aller boire le thé chez une vieille tante le dimanche après-midi (shitman de bonne famille uniquement) retourner à la Tour Staline, rue Trotski, bâtiment 12 ter, escalier gauche pour revoir Bob, celui qui jouait goal...

N. B. Seuls les lieux qui évoquent un plaisir sont valables. Aucun shitman n'aura l'idée de retourner voir son lycée, sa prison, son pensionnat de Jésuites ou son couvent.

– Ce plan est souvent interrompu par l'abjecte réalité : la Tour Staline a été rasée et remplacée par une superbe villa. (Ou parce que Babal dit qu'il a faim. Voir plan « munchies » p. 67).

Plans exotiques

Moins onéreux qu'un séjour au Club Méd. On peut *réellement* aller au Zoo ou au cirque (voir plan « enfance » p. 66), mais le shitman aura tout autant l'impression d'y être en allant voir un défilé de majorettes, en regardant passer les voitures sur un pont d'autoroute, en allant à la piscine, ou en guettant au feu rouge du coin l'attitude des gens dans leur voiture... Peut-être avez-vous été l'une de ses innocentes victimes.

Le shitman est retombé en enfance. Le monde des adultes lui paraît être une gigantesque foire du trône dont les monstres et les animaux se seraient soudain pris au sérieux, auraient oublié tout ce qu'il y a d'incroyablement comique dans leurs gestes, leurs rites quotidiens, tout ce qu'il y a d'arbitraire et d'artificiel dans ce qu'ils considèrent comme nécessaire et naturel. Voilà pourquoi il arrive au shitman de se considérer comme un extraterrestre ou plutôt comme un ethnologue du XIXe siècle parachuté chez les Zoulous. Savoir qu'il est lui-même en temps normal un Zoulou, participe aux fêtes et coutumes tribales, augmente encore son hilarité.

– Ce plan s'interrompt lorsque le pétard ne fait plus effet. Le shitman se retrouve comme un imbécile penché sur un pont d'autoroute, piqué au feu rouge... (ou parce que Babal dit qu'il a faim. Voir plan « munchies »).

Plan munchies

« Munchies » est un dérivé familier du verbe anglais to munch : mâcher, mâchonner. On a vu (cf. « l'expérience de l'œuf » p. 48) que fumer ne prédispose pas aux activités culinaires. Pas de gastronomie, le shitman est exclusivement préoccupé par la satisfaction d'une fringale énorme et instantanée qui se déclenche juste après le premier pétard. Il vous est certainement arrivé de plonger le nez dans un ravier d'amuse-gueule et de ne plus pouvoir vous arrêter d'en gober jusqu'à épuisement du stock. Le shitman est saisi de la même fièvre. Sa seule excuse est qu'il a réellement, physiquement faim. Il ne cherche pas le raffinement mais les mets les plus bourratifs possibles (cake, far breton, choco BN du petit frère...). Il aime les contrastes. Friandises et bonbons en tous genres pour leur saveur très sucrée ou biscuits franchement salés accompagnés de Coca. Trop impatient, il est incapable d'aller au restaurant. Le service le plus diligent lui semble interminable. Direction le Fast-Food.

N. B. L'alcool n'est mélangé avec le shit ou l'herbe que par des consommateurs vraiment hard * ou inexpérimentés. Le mélange est assez détonant. Les lendemains matin aussi. Prévoir une boîte d'aspirine.

– Ce plan s'interrompt lorsque Babal n'a plus faim. Les autres plans peuvent alors reprendre.

Plan TV

100 % compatible avec le précédent. Quand, parmi les shitmen l'imagination n'est pas au pouvoir, la TV constitue une solution facile mais toujours très appréciée. Toujours un peu tenté de s'écrouler *, le shitman va absorber sans broncher la totalité des programmes jusqu'à consommation de la dernière speakerine.

– Le zappeur, as de la télécommande, perfectionne le système en regardant TOUS les programmes de TOUTES les chaînes en même temps. Satisfaisant le solitaire, cette pratique provoque l'indignation de l'entourage.

– Les plus jeunes. La 5 et TV6 avaient toutes leurs faveurs. Ils trouvent monsieur Spock particulièrement « TamTam » et ont été très déçus qu'il ne soit pas parvenu à téléporter Michel Droit et la CNCL dans une autre galaxie, peuplée de monstres verts et baveux. Maintenant, ils flippent (voir supra). Les plus atteints ne se sont pas encore aperçus des récentes modifications du PAF.

– Les magnétophiles. Se composent des programmes spécial-shit sur mesure : pubs + clips + extraits de films pornographiques non décodés enregistrés sur Canal + + films d'horreur loués (option 10/14 ans) + Zorro du Disney Channel (option 25 ans) + Résistance, Le Magazine des Droits de l'Homme (option 40/45 ans) + Prélude à la Nuit (erreur de programmation).

– Pour la dernière catégorie ce plan est interminable.

N. B. Babal préfère les chaînes privées. Il peut aller au ravitaillement pendant les pubs.

Plan écroule

Plan munchies + plan TV.

– Ce plan s'interrompt lorsque Babal s'endort sur le canapé.

Plan ciné

Le shitman aime retrouver sur l'écran ce que le shit produit en lui : les EFFETS SPÉCIAUX. Ainsi il manifeste une grande préférence pour les salles à écran géant et son Dolby Stéréo dans lesquelles passent ces films (on ne sait pas au juste ce qui, de la salle ou du film, décide le shitman). C'est là une des causes de pénétration du cinéma US en France. Vu des premiers rangs (« sinon c'est pas la peine, autant rester devant la téloche »), les Spielberg, par exemple, semblent avoir été conçus pour le shitman : rien à comprendre et tout à voir. Rien qui se prenne trop au sérieux, tout pour le spectacle, le X-ième degré. L'univers des *Aventuriers de l'Arche Perdue,* de *Star War, E.T...* est issu de la bande dessinée, de la science-fiction. C'est un monde fantastique dans lequel tout est permis (cool) tant que les costumes, le décorum et les effets spéciaux le rendent un peu crédible. C'est notre monde, mais tordu de façon un peu délirante sous prétexte d'anticipation. C'est pour ça justement que le shitman y croit, parce qu'il est imaginaire. Ce qui paraît grotesque, c'est le réel. On comprend mieux pourquoi le naturalisme de Rohmer fait hurler de rire les premiers rangs, quand vous vous contentez de sourire (finement). Pour défendre les couleurs de la France, il n'y a que Belmondo. Sur grand écran, il est le seul à relever le défi hollywoodien : le shitman va le voir pour se foutre de lui. Stallone attire les foules de drogués pour la même raison. On peut voir là aussi une analogie entre la drogue et ce type de cinéma : tous deux intoxiquent et s'appellent vraiment du « shit ». Le prétendu retour des bonnes vieilles valeurs que véhiculeraient les films d'aventures récents (*L'étoffe des héros,* les Spielberg...) est la vue d'un esprit qui prend ses désirs pour des réalités. Il n'y a que Louis Pauwels pour refuser de voir le clin d'œil de Christopher Reeves, alias Superman.

Plan ciné (club)

Un des effets surprenants du shit est de développer la capacité à comprendre l'anglais (uniquement), peut-être parce qu'il diminue d'autant la faculté de lire les sous-titres français. (Un doute plane néanmoins sur cette étonnante propriété, parce qu'il demeure très difficile de SE faire comprendre PAR un Anglais). De là, le succès hilarant des Marx Brothers dont le comique est nettement basé sur les jeux de mots, les reprises régulières d'*Hellzapoppin,* des Lubitsch et de tous les ciné-clubs V.O. en général.

Le plan BD

Fonctionne lorsque le shitman est coincé chez lui et qu'il n'y a rien d'intéressant à la télé. Il l'allume quand même, baisse le son et met un disque. Puis il prend un livre avec des dessins et des bulles (pas trop longues) de texte, appelé album de bande dessinée. Les sens saturés de sons et d'images, il va se plonger dans ce qu'il nomme pudiquement « la lecture ». C'est un fan de *Corto Maltese* pour l'aventure, de *Kébra, Freak Brothers,* Margerin pour la défonce et la zone, Edika, Gotlib (plus désuet) pour la caricature des attitudes communes et le côté délirant que le shit donne à la vie quotidienne.

Plan musique

Le shit accentue ce besoin qu'a notre société de mettre de la musique partout, dans la rue, les magasins, les ascenseurs... Plus que nous encore, le shitman a horreur du vide, du silence. Un très beau film muet le fera fuir alors qu'il peut regarder Dallas s'il a coupé le son et écoute un disque en même temps. Il demande surtout à la musique d'occuper l'espace, de créer une ambiance. Autant dire qu'il lui est difficile d'apprécier celles dont le son, le rythme font appel à un parti pris militant ou intellectuel : punk, new-wave... La qualité du son est un critère déterminant : il ne doit pas être trop aigu, agressif, mais plein, chaud, enveloppant. D'où l'abus de basses bien « rondes », le succès du reggae, des musiques jazzy. Le shitman bien raide qui écoute de la musique en fermant les yeux a l'impression d'entrer dans un espace, une authenticité sonore dont les basses sont les fondations et les aigus le faîte ou la flèche. Le rythme pour sa part constitue le côté temporel, hypnotique et quasi vivant de la sensation. Le shitman dit alors qu'il est « pris » par la musique, comme si elle était un véhicule dans lequel il voyageait. Ce syndrome « cathédrale » a peut-être contribué à l'avènement du rock planant (Pink Floyd) ou symphonique (Genesis). C'est aussi un élément déterminant de la conversion en grands mystiques des hippies des années 60-70. Le problème du shitman, c'est de changer le disque ou retourner la cassette. La solution consiste à se brancher sur les radios FM, easy listening (écoute facile) de préférence.

Le top-shit :

1) LE REGGAE sous toutes ses formes : de Bob-Marley-le-Père à tous ses fils.

2) le JAZZY : pour les jeunes, Sade n'évoque plus le divin marquis mais le prénom de la veloutée Adu (prononcer chadé).

3) DIS-LEUR MERDE AUX DEALERS. C'est l'entrée surprise de l'année. Ce tube a détrôné les Bisounours auprès des tout petits clous. Les jeunes shitmen le chantent en roulant leurs joints.

4) THE CURE. A leurs débuts en 1977, ils s'appelaient « EASY CURE » (cure facile). On comprendra

pourquoi « Gros-bert » a supprimé le premier mot, (voir « comment décrocher ? ») dans le chapitre héroïne.

5) STING, PETER GABRIEL, et tous les anciens babas reconvertis dans le rock propret-gros-son.

6) U.2. Sympa et inoffensif.

7) SIMPLE MINDS. A cause du nom (LES SIMPLETS) et parce qu'ils sont quand même la crème de la soupe.

8) ELVIS COSTELLO. Parce que c'est comme ça.

9) ROCK JAPONAIS. Pour les plus branchés.

10) NÉO-PSYCHÉ. En vrac, The Cult, Prefab Sprout, Dream Academy...

11) GENTIL COUNTRY. Lloyd Cole, Susan Vega, Pogues... Pour shitmen intellos.

12) LE TOP 50 de la semaine.

Est-ce dangereux ?

Oui

Pour les « rouleurs fous », ceux qui remplacent la première cigarette du matin par un joint. Parce que la seconde et toutes les autres seront *aussi* des joints. Arriver raide dès 8 heures pour le cours de math, ça perturbe sérieusement les courbes exponentielles, et même les tables de multiplication. Au bureau ou à l'usine, à moins d'être un professionnel du délire (rock, ciné, pub, BD... c'est-à-dire un privilégié), le shit fait fondre la prime de rendement avec laquelle on se le payait et fait apparaître au fond du couloir... la porte de l'ANPE.

A haute dose, il est sûr que le shit démobilise, qu'il rend oublieux. Fumer tout le temps à l'âge où se décide l'avenir du fumeur *en* herbe, peut poser des sérieux problèmes d'intégration : jusqu'à le dissuader d'aller s'inscrire à l'ANPE (trop loin, trop compliqué...) Dans ce cas, le shit n'est bon que pour l'indice officiel du chômage.

Non

Président de la République, le shitman serait un danger pour la Nation; militaire, il pourrait devenir inoffensif. Mais, consommé occasionnellement, puisqu'il ne conduit pas forcément à l'abus, le shit incite à ne pas trop se prendre au sérieux, à ne pas donner dans tous les panneaux. Par exemple, il ne facilite pas la tâche des politiciens (qui sont tous contre) ni des marchands de culte ou d'idéologie. Le shit ne rend pas asocial ou contestataire, mais il accentue la faculté de saisir, d'agir et de parler au second degré. Il peut aussi accentuer la connerie, qui, même au x-ième degré reste de la connerie.

Remarquons simplement que le décalage provoqué par le shit (voir : L'effet des effets, p. 54) s'accorde pleinement avec la mentalité de décalage qui touche une grande majorité des jeunes. Un décalage dont le shit **n'est pas la cause principale** mais l'un des constituants importants. De ce point de vue, le shit et l'herbe ne sont dangereux que pour ceux qui refusent de prendre en compte ce décalage (dans son entier) et ne se soucient pas du dialogue. L'ironie n'a jamais tué que ceux qui se prennent trop au sérieux.

Les dealers

Lorsqu'un consommateur du nord de la France est interpellé par la police, il finit toujours par avouer péniblement :

– avoir acheté sa drogue à Barbès,
– à un inconnu dont il ne se souvient plus,
– sûrement un Nord-Africain...

Il existe sans doute des variantes lyonnaises et marseillaises de cette histoire. En fait, la réalité est beaucoup plus nuancée.

On distingue en gros deux types de revendeurs, assez différents, selon le terrain où ils opèrent.

Dans la rue

Les dealers choisissent toujours les mêmes types de quartiers pour exercer leur commerce. Ce sont :

– Les lieux à forte concentration de population étrangère. Les pays producteurs trouvent dans leurs compatriotes exilés d'excellents distributeurs. Ces rues sont généralement très animées, ce qui facilite le cas échéant la fuite du revendeur.

– Les zones piétonnières. Elles concentrent les activités de loisir (cinémas, cafés, boutiques branchées) qui attirent une clientèle jeune, celle qui potentiellement intéresse aussi les dealers. La densité de fréquentation, là aussi, favorise la fuite.

– Les « points chauds », quartiers de squatts insalubres, îlots ou rues au bord de la démolition.

– Certains bars bien connus, y compris de la police.

Comment reconnaît-on un dealer ?

En général, c'est lui qui reconnaît le consommateur éventuel. Autrement dit, il suffit aujourd'hui d'être un peu jeune, d'avoir les yeux légèrement cernés, un « look » un peu « branché »... Bref, de n'être pas en uniforme de CRS, pour se voir proposer de la « beu » (herbe) ou du « tosh » (shit) dans la rue. Encore faut-il errer dans les « bons » quartiers (cf.

ci-dessus). En effet, les dealers n'opèrent pas isolés. Comme les prostituées, ils travaillent tous ensemble sur un territoire très restreint où la concurrence fait rage. Aussitôt que le client s'est décidé, a choisi un dealer à cause de sa bonne tête ou de son bagou, ceux qui se sont vus dédaignés perdent leur bonne humeur et préviennent gentiment : « allez pigeon, fais-toi bien arnaquer par ce c... » Ainsi, parce qu'il leur faut absolument attirer l'attention du client potentiel, la méthode de racolage diffère selon l'origine du dealer. On ne s'étonnera pas, vu leur condition sociale, que ce marché de la rue soit le quasi-monopole des « étrangers ».

Le Black (ou keubla, blackos)

Inspire confiance au néophyte à cause de son blanc de l'œil rouge sang. Il faut distinguer :

1) le rasta : béret éthiopien tricolore, dread locks. Même si l'herbe joue un rôle sacré dans son mode de vie, cela ne garantit nullement la qualité de ce qu'il vend.

2) L'Africain TATI (variante chic : le « sapeur »). Ils ont tous la même couverture : se prétendent bassistes dans un groupe funk (prononcer « fonque ») totalement inconnu. Les plus originaux se disent percussionnistes. Ne pas les confondre avec les marchands de gri-gris (grrrrriii-grri).

Pour 1 et 2, même méthode de racolage : aspirent dans le vide un joint imaginaire, vous susurrent « de la beu ? » à l'oreille comme les filles disent « tu viens chéri ? »

Le Rebeu (ou beur)

Deale plutôt du shit que de l'herbe. Reconnaissable à ses chaussures pointues et à ses apostrophes stridentes, « Kssss Kssss! » Moins cool que le black mais plus réglo. Avec lui, le client a intérêt à savoir ce qu'il veut.

La transaction

On ne goûte pas la marchandise sauf si le dealer est précisément en train d'en fumer. On passe la commande verbalement sans donner d'argent. Le blaireau qui s'y risque n'en reverra jamais la couleur. Puis le dealer part chercher la barrette * de shit ou l'enveloppe d'herbe correspondante dans une planque proche ou auprès d'un acolyte. On paie en liquide, comme pour toutes les drogues, une fois la marchandise empochée.

A domicile ou dans l'intimité

Dans ce cas, on distingue deux catégories de dealers :

Le dealer professionnel

Il est rarement revendeur exclusif de drogues douces mais commercialise aussi cocaïne et/ou héroïne. Une règle d'or : plus un dealer est important et moins il reçoit à domicile. Pour une description plus détaillée de ce dealer, voir le chapitre Héroïne p. 187.

Le consommateur dealer

Ce revendeur est un fumeur régulier, assez gros consommateur pour disposer d'un « plan * sûr », c'est-à-dire d'un contact quasi-permanent avec le dealer précédent. C'est pour arrondir son stock ou rendre service, qu'il fait les « courses » et les redistribuent à ses copains de lycée. C'est donc la façon la plus facile de s'approvisionner, il suffit juste d'un peu d'organisation pour réunir la somme avant la course. La transaction se double alors de relations plus personnelles; elle a lieu à domicile, chez lui, ou chez vous lorsque vous êtes absent. C'est souvent lui qui offre le premier pétard (sur sa commission).

T'en veux combien?

Ces plans à domicile s'arrangent préalablement à l'aide de conversations téléphoniques assez ésotériques.

Un exemple en V.O.

« Salut vieux. Dis donc, t'aurais pas?
– Combien tu veux?
– J' sais pas, euuuh... Vingt keusses,
– Ça s' peut.
– C'est quel genre?
– La même que la derf. Afrique, ouais.
– OK. Tout de suite, là? Super... Comme d'hab. Pas de lézard. »

Sous-titrage en V.F.

« Bonjour cher ami, pourriez-vous me vendre des stupéfiants?
– Mais certainement. Combien vous en mets-je?
– Je ne sais pas. Disons pour deux cents francs.
– Je pense que cela est tout à fait dans mes cordes.
– Mais de quelle nature est le produit que vous avez en stock, je vous prie?
– Eh bien, exactement la même herbe que la dernière fois, elle vient directement d'Afrique.
– Tout cela me semble parfait, pourrions-nous faire la transaction sans tarder? Selon les modalités habituelles. »

Le marché

Le Monde de l'Économie du 10 mai 1977 faisait remarquer qu'une « hausse du prix du hasch se traduit par une réduction de la demande ». A l'inverse, le prix de l'héroïne n'influe pas sur la demande. Cette différence est due au premier des grands critères * qui permettent de ne pas confondre drogues douces et drogues dures : la dépendance envers la substance. S'il y a rupture des stocks d'herbe ou de shit, LE SHITMAN S'EN PASSERA SANS PROBLÈME. Pas l'héroïnomane : quel que soit le prix de la substance, il reste demandeur. Les drogues douces sont toujours les moins chères même si elles ne sont pas forcément les plus faciles à trouver. Ainsi, aujourd'hui, à Paris, il est plus aisé de se procurer une dose d'héroïne qu'une barrette de shit. Les prix n'en sont pas pour autant intervertis. Si les drogues douces exigent moins de préparation et de transformation chimique, leur transport est plus délicat et donc coûteux car elles sont plus volumineuses.

Les prix

Shit : 40 à 70 F le gramme acheté au détail.
Herbe : 15 à 40 F le gramme acheté au détail.

Dans la rue, pour 100 F de shit ou d'herbe, le shitman peut fumer de deux à quatre joints, de quoi passer la soirée s'il est tout seul, qu'il se couche tôt et que son shit n'est pas de la « merde ».

A domicile, le shitman achète pour 100 F une barrette * qui pèse en moyenne deux grammes (mais tend de plus en plus à n'en peser qu'un et demi). Avec, il peut fumer entre 6 et 7 joints.

Conditionnement

Au détail, l'herbe est vendue compressée ou en vrac, branches et graines comprises (quantité variable selon l'« honnêteté » du dealer). Le tout est conditionné sous enveloppe format administratif (les dealers en ont beaucoup, autant que de factures impayées).

Le shit, lui, est vendu en barrettes ou en petits carrés moulés, comme ceux d'une plaquette de chocolat. Il est emballé dans du papier aluminium, parfois dans du film plastique genre Scell'o Frais.

En gros, le shit se présente sous la forme de pains circulaires du diamètre d'une meule d'emmenthal dans lequel il n'y aurait pas de trous.

Une fois rentré chez lui, le shitman conservera sa dope selon ses manies :

– dans le papier aluminium d'origine

– dans une boîte de pellicule photo (désuet)

– dans un objet d'artisanat exotique qui par métonymie rappelle le pays de production, soit : la petite boîte du Maroc, le souvenir berbère, les mamelles de chameau décorées par les Peuls...

– dans une boîte à cigarettes en fer-blanc, ou une tabatière du XVIIIe siècle léguée par sa grand-mère (shitman de bonne famille uniquement)

– dans le sac à poussière de l'aspirateur (shitman négligent)

– dans un endroit indéterminé dont il ne se souvient plus. Si, après de laborieuses recherches, il n'a pas retrouvé son shit le shitman va « faire une parano » (voir p. 63).

Produits de substitution

Si, par définition, un dealer est malhonnête, il peut être en revanche plus ou moins « réglo ». Pourtant, quel que soit son état d'esprit, cela n'empêchera pas que toutes les drogues soient « coupées », mêlées dans des proportions parfois importantes, à des produits de substitution. D'un aspect identique, ces produits sont chargés de donner l'illusion de la quantité, de « faire du poids * » et donc, de l'argent. Ces pratiques sont d'autant plus courantes qu'il est difficile pour le consommateur d'évaluer exactement la qualité de ce qu'il a acheté. Les drogues, surtout les drogues douces, s'accommodent assez aisément d'un effet placebo, c'est-à-dire provoqué par « une substance neutre que l'on substitue à un médicament (ou à une drogue) pour contrôler ou susciter des effets psychologiques accompagnant la médication ». Par exemple, dans une université américaine, on a fait expérimentalement fumer du tabac à des sujets en les persuadant qu'ils consommaient du cannabis. Après coup, ils étaient aussi raides que s'ils en avaient vraiment fumé.

L'herbe et le shit sont matériellement les stupéfiants les plus difficiles à maquiller. De plus, à l'inverse du cocaïnomane et de l'héroïnomane (voir p. 180), le consommateur de drogues douces n'admet pas de se faire ouvertement arnaquer. Malgré tout, la contestation est difficile : si on parle qualité, le dealer se retranche derrière l'argument de la quantité et inversement. Ainsi, l'acheteur mécontent qui reprocherait au dealer son manque de générosité se verrait répliquer : « oui, mais ATTENTION, c'est du Black Bombay (ou de l'Afghan) » (cf. chapitre Origines).

Formule magique qui clôt le bec du client mais ouvre tout grand son portefeuille.

A un petit niveau, le petit dealer coupe son petit bout de shit avec du mastic ou du henné. Pour sa petite herbe, il utilise des petites graines à oiseau ou de la cataire (herbe à chat) ou encore le tabac des cigarettes pour asthmatiques Louis Legras.

DROGUES DOUCES ET DROGUES DURES

Trois critères

Ils permettent de distinguer les drogues dures des drogues douces.

1) *La dépendance* * *physique* (assuétude) qui potentialise la dépendance psychique. Une drogue est d'autant plus dure qu'elle s'inscrit dans le corps, exactement comme le besoin de dormir quand on est fatigué, de manger quand on a faim... De fait, certaines drogues « répondent » à une demande naturelle du corps. Un spécialiste américain, S.H. Snyder, parle des « cellules assoiffées d'opium » qui sont des réceptacles naturels que nous possédons tous.

2) *Le contre-effet.* Une drogue est dure si, dès la première prise, elle engendre l'effet inverse de celui qui est ressenti et recherché. Si, par exemple, le plaisir qu'elle procure sur le moment se double *automatiquement* de la douleur pour plus tard.

3) *La sociabilité.* Une drogue dure engendre des rapports de sociabilité durs, des rapports de pouvoir, de domination, de concurrence sans merci. La substance cristallise autour d'elle, de sa possession, de

sa distribution, une hiérarchie qui n'a rien de convivial mais est quasi féodale (voir p. 173).

L'escalade

Les drogues douces font-elles le lit des drogues dures ? Fumer un joint conduit-il automatiquement à l'enfer de l'héroïne ?

Non, bien sûr : on peut commencer DIRECTEMENT par l'héroïne. Et on le fait de plus en plus.

Par contre dès l'instant où on se drogue, user conduit presque toujours à abuser. Mais cette escalade-là est spécifique de la seule drogue dont on use et n'implique pas que l'on va passer d'une drogue à l'autre sous prétexte que les effets de la première ne sont plus assez puissants. Les drogues ne sont pas toutes les mêmes ou emboîtées comme des poupées russes de la plus forte à la moins forte. **IL NE FAUT PAS CONFONDRE DIFFÉRENCE DE DEGRÉ ET DIFFÉRENCE DE NATURE.**

Par exemple, il y a des héroïnomanes qui ne supportent pas de fumer des joints, d'autres en revanche ont été shitmen avant de prendre de la poudre. L'un ne mène pas fatalement à l'autre, seulement 5 % des consommateurs de haschich passent aux drogues dures. Mieux, un fumeur de shit a des chances de ne pas céder à la tentation de l'héroïne ou du moins, de ne pas y céder longtemps, parce qu'il possède d'autres plaisirs de référence (voir p. 157). En revanche, un héroïnomane peut connaître l'escalade et opter pour des pratiques de plus en plus dures. Par exemple il va commencer par « sniffer * » et, rapidement, finir par se « shooter * » pour augmenter la puissance des effets. Il s'agit donc plutôt d'un « escalier intérieur » que d'une escalade.

LA COKE

Le mot

Aux États-Unis, le lexique de la cocaïne est beaucoup plus fleuri et amusant qu'en France. On dit : big C, Carrie, Fly, Nose candy (le « sucre » du nez), paradise, star dust (poussière d'étoile, voir p. 113). En France, seul le terme « coke » est d'usage courant. Une différence sensible, à la mesure de l'ampleur respective du phénomène dans chacun des pays. Bien qu'en augmentation constante depuis le début des années 80, la consommation de cocaïne n'a pas encore chez nous le caractère dramatique qu'elle a pris outre-Atlantique où elle est devenue un phénomène de masse. En France, où elle ne représente que 1,32 % du marché, elle est l'apanage d'une minorité, assez privilégiée économiquement, culturellement, et plutôt bien intégrée socialement. Aussi, cette substance chère et prohibée n'engendre pas, sauf accident, la marginalité ou le désordre. On chercherait en vain dans les prisons, sur les bancs des tribunaux ou dans les hôpitaux de vrais cocaïnomanes. C'est pourquoi la cocaïne n'a pas chez nous un authentique statut de drogue dure.

Consommer de la cocaïne ne culpabilise pas non plus l'usager. Ses effets s'accordent avec les valeurs dominantes de ses consommateurs : compétitivité, rendement, efficacité... La coke, en effet, potentialise la sociabilité (voir p. 107). Aussi, le cocaïnomane ne la perçoit pas exactement comme une drogue mais plutôt comme un « plus », un « must » ajouté à sa vie. Cette « décriminalisation » de la coke, due à la nature du produit et de ses consommateurs, pose la vraie question. A quelles conditions, dans quelles circonstances, un produit est-il considéré comme une drogue par nos sociétés ? On verra que l'histoire de la coke, ses effets, la typologie des usagers ne se départissent jamais de cette ambiguïté. D'ailleurs, aucun autre marché des stupéfiants n'est autant infesté d'imitations chimiques, de placebo *, que celui-là (voir p. 117). A la vente elle peut être remplacée à 100 %, sans que la majorité des usagers s'en aperçoive.

La chose

La coke est un stimulant du système nerveux central. C'est un alcaloïde extrait de la feuille de coca. On cueille ces feuilles à la période où elles se détachent facilement des branches du cocaïer, un buisson qui pousse sur les hauts plateaux de Bolivie et du Pérou. Aujourd'hui, on le trouve un peu partout dans les pays avoisinants. Il y a remplacé le café. Il en existe deux variétés :

– *le tuanoco bolivien.* Ses feuilles contiennent 2,5 % d'alcaloïdes, dont 1 % de cocaïne (pourcentage en poids),

– *le truxillo péruvien* dont les feuilles ne contiennent que 0,7 % de cocaïne.

Il faut donc en moyenne 150 kg de matière première pour obtenir 1 kg de cocaïne pure à 100 %. Mais, la pureté maximale à laquelle on parvient est de 90 %.

Origines et qualités

Du producteur au trafiquant

Les feuilles arrosées de kérozène (carburant pour avion) et d'autres produits peu sympathiques, sont laissées à macérer dans une fosse en plein air comme du vulgaire fumier. Au bout du compte on obtient la « pasta » *.

Cette pâte est ensuite transformée en poudre ou en gros cristaux semblables à des diamants bruts (plus classieux *) : c'est la cocaïne base ou « free-base » *. A l'arrivée, la coke se présente sous l'aspect d'une poudre blanche et brillante (hydrochloride de cocaïne). Moins elle est pure et moins elle brille. La coke peut aussi avoir l'apparence de petits cristaux translucides, semblables à de la neige fondue.

Du trafiquant au consommateur

De source officielle, on estime que seuls 10 % de consommateurs privilégiés auront senti passer dans leurs narines une telle coke, pure à plus de 60 %. Ce sont évidemment des Américains. En France, seuls 5 % des cocaïnomanes ont pris un jour un produit dont la pureté excédait 35 %. Les autres consomment une cocaïne deux à quatre fois moins bonne. Ces variations de qualité sont dues :

1) à la proximité des lieux de production qui rend plus ou moins difficile la mise en place des filières, l'acheminement du produit. Plus la distance entre le

lieu de production et le lieu de consommation augmente, plus se multiplient les intermédiaires. Et qui dit intermédiaires dit aussi produits de coupe. Enfin, la cocaïne est une substance très fragile qui craint la lumière, l'humidité, la chaleur. Tout transport risque de la dégrader.

2) des considérations marketing comme la taille du marché. Plus il y a de clients, moins ils sont négligés. Autre critère déterminant : la monnaie de paiement. On comprend pourquoi les USA avec leurs 5 millions de cocaïnomanes réguliers et leur dollar, sont mieux « lotis » que la vieille Europe, où la coke reste un phénomène d'importance secondaire.

Ce n'est donc pas seulement le folklore qui fait dire au consommateur français que sa coke vient « directement de là-bas », expédiée par les bons soins d'un ami colombien ou américain. C'est en effet à cette condition que l'on peut espérer consommer un peu de vraie coke.

Pureté

USA : 5 à 35 %. Moyenne absolue : 20 %. En fait, la coke en circulation est plus souvent au-dessus de cette moyenne.

Prix : 50 $ le gramme au détail.

FRANCE : 2 à 20 %. Moyenne absolue : 11 %. Mais la coke en circulation est bien souvent au-dessous de cette moyenne, aux alentours de 6 %.

Prix : 600 F le gramme au détail.

Pour un effet identique, il en coûtera six fois plus cher au consommateur français qu'au consommateur américain.

N. B. Il n'est pas si rare en France de trouver, au détail, de la soi-disant coke, pure à 0 % dont nombre de consommateurs se satisfont (voir pourquoi p. 117). Dans ces conditions existe-t-il de vrais cocaïnomanes dans l'hexagone ? Drogue de privilégiés, vendue coupée à l'excès, la coke en France n'est-elle pas au bout du compte une drogue fantôme ?

Le rôle des dealers

Prendre de la coke, c'est donc prendre surtout beaucoup d'autres produits bien meilleur marché. Ces produits ne sont pas sans effets et on verra pourquoi, p. 103, on a tendance à les confondre avec ceux de la coke.

Il en existe deux types bien distincts :

1) *Les produits actifs*

Difficiles à se procurer, ils ne sont pas à la portée du petit dealer. Ils sont donc utilisés par les grossistes.

Ce sont des anesthésiants locaux : xylocaïne *, tétracaïne *, novocaïne *, bref, tous les « x-caïnes » que l'on peut trouver en laboratoire. Certains sont des produits de synthèse, d'autres des dérivés de la cocaïne.

Des euphorisants * : amphétamines *, caféine *...

2) *Les produits non actifs*

Ils sont utilisés pour « faire du poids * », mais ne sont pas forcément inoffensifs. Surtout lorsque la cocaïne est consommée par voie intraveineuse.

	Effets	**Danger en cas de shoot**	**Test : en brûlant**
Cocaïne	Voir chap.	Mortelle à 1,2 g	Marron rouge très clair
Produits de coupe actifs Novocaïne et « x-caïnes » Ketamine	**anesthésie locale** – Irritation des parois nasales – Nez qui coule – Fortes brûlures	Mortelle à 1/50e de g	idem
Produits de coupe actifs Amphétamines Quinine	**excitants euphorisants** – Transpiration excessive		Brûle en faisant des craquements
Produits de coupe inactifs Lactose Manitol Sel Talc	 Diurétique	 Non soluble dans le sang	Marron foncé Non Non

La paille et le tain

Le mode de consommation de la coke le plus répandu est le sniff * (priser). Mais on peut aussi la fumer de plusieurs manières, ou la prendre par voie intraveineuse.

Le sniff

A l'aide d'un couteau ou d'une lame de rasoir, on étale en ligne un peu de cocaïne sur une surface lisse, généralement un miroir. On inspire ensuite la « ligne » * à l'aide d'une paille enfoncée dans une narine, tandis que l'autre est obstruée par une légère pression du doigt. On dit alors qu'on s'est « fait une ligne » *. Si la quantité de cocaïne absorbée d'un coup est plus importante, on dit qu'on s'est « fait un rail » *. La cocaïne passe dans le sang par l'intermédiaire des muqueuses. Il vaut mieux ne pas être enrhumé. Cette méthode est aussi applicable à l'héroïne (voir p. 137).

Voilà pour le principe général. Mais, comme n'importe qui ne prend pas de la coke et surtout parce qu'on en consomme précisément pour ne pas avoir l'air d'être n'importe qui, on ne la prend pas non plus n'importe comment.

Ce qui est OUT

Le miroir spécial et la paille en argent ramenée des USA. L'emploi de ce matériel spécialisé constitue une faute de goût. Cela prouve que l'on sacralise un peu trop la substance et laisse à penser qu'on est un néophyte. C'est d'aussi mauvais goût que d'exhiber la marque, ou le prix, de son costume et donc toujours gênant si l'on compte faire partie du « club ».

Au contraire, l'habitué est désinvolte. Il aura donc avec la coke le même rapport, discret et peu affecté qu'a, avec l'argent, celui qui est riche depuis longtemps.

Ce qui est IN

Une paille de Mac Do * et une table basse.

SUPER IN

Un billet de 20 $ roulé en guise de paille et une carte de crédit (American Express) constituent le matériel idéal sans pour autant faire snob. C'est en effet tout naturellement qu'on les a tirés de la poche du costume qu'on portait hier encore dans les rues de New York. Ce matériel n'est pas spécialement destiné à cet usage, bien qu'il le favorise... Pour les dîners et les soirées, la femme du « broker * » n'oublie pas de laisser traîner négligemment sur la cheminée un saladier plein.

Aujourd'hui, en France, on prend de la cocaïne de la même manière que l'on fumait du haschich dans les années 60-70 : essentiellement pour soigner son image de marque et accessoirement pour en ressentir les effets. La cocaïne est encore un symbole de reconnaissance entre usagers, un trait d'union entre gens qui désirent appartenir au même monde. Un monde qui, on vient de le voir, est exactement celui que tentaient de fuir les hippies, il y a vingt ans, en fumant du hasch (voir *tableau* : La drogue et les cultures jeunes, p. 244).

N. B. Il arrive qu'une même personne soit passée d'une pratique à l'autre. Jerry Rubin, hier pape des freaks * contestataires, a désormais troqué son béret à la Che Guevara et les poils de sa barbe contre une carte American Express et des billets de 20 $.

Le blow

La cocaïne se fume de différentes manières :

– à l'aide d'une cigarette. Celle-ci, à demi vidée et dont on a enlevé le filtre, sert de paille. La cocaïne aspirée s'intègre au tabac. L'effet est le même qu'en sniff mais plus intense et de moins longue durée.

– en « blow » * proprement dit. Cette méthode s'applique aussi à l'héroïne. La cocaïne est posée sur du papier d'aluminium. On confectionne un large cône en carton qui permettra de capter et d'aspirer la fumée. On chauffe avec un briquet le dessous du papier d'alu jusqu'à ce que le produit se volatilise en une fumée blanche. A chaque bouffée, on éteint la flamme. La cocaïne passe dans le sang par l'intermédiaire des poumons. L'effet est violent, mais les Américains ont trouvé plus radical encore : le « free-basin » *.

Le free-basin

Apparu aux États-Unis en 1977-1978, le « free-basin » est une des pratiques les plus paradoxales qui soient : alors que les trafiquants « s'échinaient » à purifier la cocaïne pour qu'elle puisse faire effet en étant prisée, les consommateurs américains s'ingénièrent à la « dé-purifier » pour retrouver la cocaïne-base. Cette « narco-cuisine » consiste à faire chauffer de la cocaïne dans une casserole, mélangée à des produits que nous ne nommerons pas : ils dissolvent tous les adjuvants de coupe et il ne reste dans le fond que des gros cristaux de cocaïne-base, absolument inactive lorsqu'elle est prisée. La raison de ce « dégraissage » est assez simple : les cristaux ainsi obtenus sont chauffés dans de l'eau et les vapeurs sont inhalées. L'effet est très violent, proche de celui que procure une injection. Si l'on considère qu'en plus de l'eau, certains utilisateurs ajoutent de l'éther dans l'inhalateur, on comprendra que cette petite cuisine est *très* inflammable. Une cigarette et c'est Pearl Harbor.

Jeu concours : essayez de vous rappeler quelles sont les stars américaines (saines et bon chic) qui, dans les dernières années, ont été victimes de brûlures au visage dans des circonstances « accidentelles » pour le moins curieuses (incendie provoqué par un sunlight, un séchoir à cheveux modèle Viêt-nam...).

Le crack

C'est la dernière nouveauté de la défonce new-yorkaise. Cette pratique découle directement du free-basin ci-dessus décrit. Le raisonnement des trafiquants a été simple : pourquoi purifier la cocaïne alors que les Américains vont en faire du « free-base »? Autant le leur vendre « clef en main »! Et encore, avec options! Car cette coke, une fois agrémentée d'autres produits, deviendra terriblement « accrocheuse * » et quelques prises suffiront pour créer la dépendance. Très bon marché, ce produit fait des ravages. Fantasmes de journaux à scandales ou réalité, toujours est-il qu'avec le crack, le mythe du grand noir assassin a reparu. Cette fois ce n'est plus à la femme blanche à laquelle il s'attaque, mais à sa propre mère ou à l'innocent pasteur du quartier.

C'est le crack qui a déclenché la prise de conscience récente de l'opinion et c'est à cause de lui que le couple Reagan est parti en croisade. On ne peut manquer de remarquer combien les cas de folie décrits ressemblent à ceux provoqués à la fin des années 70 par le PCP *, l' « angel dust », un anesthésiant utilisé par les vétérinaires pour les gros mammifères. Il transformait monsieur tout le monde en un super Rambo insensible à la douleur. Capable de tenir tête à une armée de policiers, le forcené défoncé balançait par la fenêtre des armoires, tenant encore debout malgré plusieurs fractures ou blessures graves. Certains s'arrachaient les muscles au couteau en criant : « Je suis Dieu. » Le PCP a disparu de la circulation grâce à l'action des CENTAC *. Mais l'usage du crack étant déjà plus répandu, il sera sans doute plus long à éliminer. Le PCP n'avait pas traversé l'Atlantique, le crack non plus. Le free-basin n'étant pas une pratique entrée dans les mœurs des cocaïnomanes européens, on peut espérer que le vieux continent demeurera à l'abri du fléau. A moins que les producteurs boliviens, qui voient depuis cinq ans déjà le marché américain saturé, décident de nous exporter en masse leur cocaïne.

Le shoot

Pour une explication de ce qu'est un shoot * (injection par voie intraveineuse d'un stupéfiant) on se référera au chapitre Héroïne p. 137. En effet, cette pratique est souvent le fait de polytoxicomanes * dont la drogue dominante est l'héroïne. La cocaïne n'est qu'accessoire.

Lorsqu'elle n'est pas mélangée à l'héroïne, elle nécessite des injections répétées (toutes les 10 minutes) parce que l'effet recherché est celui du flash ultraviolent qu'elle produit alors.

Mélangée à l'héroïne, cela s'appelle un speedball *. Les effets des deux drogues se combinent sans s'annuler, et pour l'héroïnomane c'est un luxe recherché.

Que se passe-t-il quand on prend de la coke?

Après une ou deux lignes, on est raide (rarement). Quelques symptômes physiques, parfois trompeurs, permettent de le vérifier :

– [–] anesthésie des muqueuses du nez, du palais et des lèvres. Parfois, c'est même toute la moitié du visage correspondant à la narine coupable qui est insensibilisée. Comme lorsqu'on sort de chez le dentiste, il est alors dangereux de fumer cigarette aux lèvres ou de boire sans bavette.

– [–] nettoyage instantané du nez et des sinus qui se mettent à couler, drainant la précieuse substance jusque dans l'estomac. Attaquée par les sucs gastriques, la cocaïne perd une bonne partie de ses vertus, ce qui est somme toute moins frustrant que de la retrouver dans un mouchoir.

– [–] diminution partielle ou totale de l'odorat, du goût. On peut en profiter pour manger n'importe quoi. Utile lorsque les petits fours ne sont pas tout frais [+].

– [+] dilatation des pupilles. On devient moins sensible à la lumière. Cela donne à un éventuel interlocuteur l'impression qu'il est écouté avec une intense attention (aussi utile que nuisible) [+ et –].

– [+] augmentation du rythme cardiaque et de

la pression sanguine. La cocaïne est un vasoconstricteur, elle diminue la taille des artères [–].

– [+] le sang circule plus vite.

– [+] augmentation de la température réelle du corps mais parfois accompagnée d'une sensation de froid [–].

– [+] augmentation des capacités musculaires. Elle n'est pas réelle mais seulement due à une diminution du sentiment de fatigue physique [–].

– [+] augmentation du débit de paroles, parfois intéressantes mais souvent vaines [–] (voir p. 107).

– agitation, grande difficulté à rester calme et sédentaire.

On le voit, la coke étant à la fois un stimulant [+] et un anesthésiant [–], chaque effet est presque systématiquement accompagné de son envers, sans qu'ils s'annulent réciproquement. Ce phénomène est caractéristique des drogues dures (voir Drogues douces et drogues dures, p. 83).

Faux symptômes et produits pièges

Pourtant, la plupart des symptômes décrits ci-dessus sont trompeurs. Même s'ils font s'extasier le cocaïnomane d'occasion sur la qualité du produit qui vient de lui anesthésier le nez, ils sont dus aux produits de coupe.

– L'anesthésie ne devrait pas se prolonger au-delà de 5 mn et devrait être légère. Plus elle est intense et prolongée, plus la coke est coupée avec des anesthésiants locaux sans aucun pouvoir stimulant.

– Le nez ne devrait couler que très légèrement et seulement 10 à 15 mn après les premiers effets. Plus les écoulements sont rapides et abondants, plus le produit est coupé.

– Plus elle brûle les parois nasales et plus elle contient d'amphétamines et autres excitants. Sniffer de la coke c'est comme « respirer de l'air pur » disent les spécialistes.

– Un sentiment d'excitation physique et une tension nerveuse trop importante ne sont pas les symptômes de la cocaïne mais plutôt ceux des amphétamines et de la caféine. « Une bonne coke n'est pas speed », aiment à répéter les puristes.

N. B. Ces produits de coupe ne sont pas dangereux si on les sniffe, mais peuvent le devenir lorsqu'on shoote.

Petite nuance et grande arnaque

La cocaïne est souvent considérée comme « le champagne des drogues », non seulement à cause de son prix mais aussi parce qu'elle produit un effet subtil et difficile à cerner. Aussi des milliers de néophytes sniffent-ils chaque jour de « vulgaires mousseux », dont l'effet placebo les ravit.

Si, malgré tout, le « cocaïnomane » tient absolument aux symptômes décrits ci-dessus, il peut les obtenir plus légalement et à meilleur marché. Il suffit : d'aller chez le dentiste et d'exiger une anesthésie, puis, au retour, de faire une bonne inhalation et de boire un litre de café « Grand Soir » agrémenté de vitamine C. On n'oubliera pas de sniffer un peu de détergent vaisselle pour bien irriter le nez.

Promotion physique : l'effet Superman

La cocaïne n'est pas un excitant mais, la nuance est d'importance, un stimulant. Ses effets, n'en déplaise aux puristes, sont proches de ceux des amphétamines, à quelques petites différences près qui font tout son charme.

– Comme les amphétamines, la cocaïne stimule le système nerveux central mais, en même temps, elle anesthésie légèrement le corps, les muscles et les terminaisons nerveuses, diminuant ainsi la fatigue et calmant la douleur. Ces deux effets conjugués en font un *euphorisant* *. L'anesthésie évite les contrecoups douloureux et pénibles d'une trop grande stimulation interne.

– La cocaïne qui passe directement dans le sang par les muqueuses produit un effet rapide et violent. On ressent une puissante promotion physique : en une ou deux minutes, le cocaïnomane passe de l'état normal à celui dans lequel il serait après un séjour prolongé en altitude. Cette « montée » * est quasiment inexistante avec les amphétamines. Généralement absorbées par voie orale, elles font effet lentement sans provoquer de brutale rupture d'état.

– Dernière nuance : les amphétamines coûtent cinquante fois moins cher et leur pouvoir stimulant est douze fois plus durable que celui de la cocaïne. Cette « nuance » n'a certes pas échappé à l'œil averti des businessmen qui en consomment. Mais c'est ailleurs qu'ils y trouvent leur « compte » : la cocaïne est pour eux un élément de train de vie, au même titre que la voiture de sport avec laquelle ils ne dépassent pas les 90 km/h.

Promotion intellectuelle : l'effet Ordinator

La coke rend-elle génial?

Les spécialistes se posent encore la question, les cocaïnomanes en sont convaincus. A dose médicale, la cocaïne développe les capacités intellectuelles de 5 à 7 %. Tout dépend du capital de base : donnez de la coke à un singe, il n'en sera pas plus intelligent pour autant.

La logique

La cocaïne promeut les capacités logiques qui permettent la mise en ordre des idées, leur agencement global, leur enchaînement en vue d'une démonstration finale. En cela, elle s'oppose au shit parce qu'elle favorise la synthèse, la vue d'ensemble (voir p. 116). C'est une drogue qui joue sur la forme, l'ordre, la relation, alors que le shit disperse les idées, leur donne un contenu, un sens et une matière.

L'intuition

Si la cocaïne favorise la clarté des idées, elle favorise aussi leur *éclosion.* Avoir une vue d'ensemble, une idée claire de ce qu'il faut démontrer, c'est anticiper, se représenter le but à atteindre et ainsi, faire *surgir* les chaînons manquants qui permettent d'y parvenir. Malheureusement, si le cocaïnomane ne sait pas canaliser ces intuitions, la coke ne fera que grandir sa frustration. Elle n'apporte pas des moyens qu'on n'a pas, mais se contente de potentialiser ceux qu'on possède déjà.

La ténacité

La coke augmente la capacité de réflexion et diminue la fatigue. Le temps va passer d'autant plus vite qu'on éprouvera moins de lassitude. Mais cette capacité de persévérer dans l'effort peut avorter dans l'immobilité la plus absolue : l'idée fixe. On devient alors un âne, un bœuf qui trace lourdement son sillon.

Promotion sociale : la coke rend-elle mondain ?

La cocaïne rend supersociable, mais pas archiduc. Là encore, elle potentialise les qualités mondaines, améliore les rapports humains mais elle ne procure pas de statut social. Le Swann de Proust était apprécié dans les salons aristocrates pour son bon goût et ses manières; il n'en restait pas moins, aux yeux de ses hôtes, un riche bourgeois à moitié juif. Aujourd'hui si la cocaïne place son usager au top niveau, elle ne le propulse pas pour autant au Top 50.

La cocophonie

La coke est un euphorisant *, c'est-à-dire qu'elle met de bonne humeur sans rendre hystérique. Elle permet de conserver sa réserve et sa bonne éducation, à condition d'en être déjà doté.

On peut dire aussi, au risque de parler inutilement, que la cocaïne rend tout à fait loquace, développe ce besoin de parler pour ne rien dire, de communiquer sans s'écouter (mais fort élégamment et avec style). Bref de « cocophoner » à prix d'or.

N. B. On obtient un effet équivalent (pour un prix plus modeste) en réveillant par téléphone un inconnu à Java, au Japon ou en Alaska...

L'œuf et la poule

Bien sûr, la cocaïne rend insomniaque. Est-ce pour cette raison que de nombreux cocaïnomanes sont des piliers de night-club ? Ou bien est-ce parce qu'ils sont insomniaques qu'ils vont en boîte, et y prennent de la cocaïne ? Difficile de répondre. On peut en revanche signaler l'influence insolite du produit (et de l'héroïne) sur l'architecture des lieux nocturnes. Plus une boîte est à la mode, plus la porte des toilettes est petite. Au fil des accidents, des pressions de la police et overdoses diverses, elle a été sciée en haut, puis en bas, pour dissuader les toxicomanes d'y céder à leur vice. Il ne reste souvent plus qu'un ridicule vantail du type porte de saloon qui dissuade même de les utiliser tout court.

La coke : drogue dure ou drogue douce ?

Parvenu à ce stade d'euphorie, on peut se demander si la cocaïne est vraiment une drogue. Pourquoi lui avoir apposé cette marque d'infamie si elle permet de fabriquer des petits Einstein ou des grands Stakhanov ? Pourquoi l'avoir mise au banc alors qu'elle rend ses usagers plus performants, plus actifs, sans créer de dépendance ?

N'a-t-on pas même transformé, disent les amateurs, la « chance » qu'elle représentait en une tragédie, par le simple fait de l'avoir interdite, fait monter les prix et ainsi généré la délinquance ?

Une drogue à histoire

Toute l'histoire de la cocaïne témoigne de ce statut ambigu. Il est bon d'y revenir pour comprendre comment elle a été prohibée, les questions politiques et sociales qu'elle a soulevées.

La cocaïne que l'on consomme aujourd'hui n'a plus grand-chose à voir avec celle qui circulait il y a encore trente ans.

La nuit des temps

Chez les Incas, la feuille de coca occupait une place à part : elle était quasi divinisée. Avant d'enterrer les morts, on leur bourrait les poches de ces feuilles. Les prêtres en jetaient au hasard sur une assiette et lisaient l'avenir en interprétant leur disposition. Croyant qu'elles étaient habitées par une déesse mère, ils confectionnaient avec le costume de poupées totems.

Au XVIe siècle

Dès leur arrivée sur le continent sud-américain, les conquistadores jouèrent les brigades des stups. Ils prohibèrent l'usage de la « plante de Satan ». Mais la chute de rendement de la main-d'œuvre indienne employée dans les mines d'or leur fit réviser illico cette conception du démon. Après tout, cela n'était peut-être pas si mauvais pour ces indigènes! On n'avait pas besoin de les nourrir beaucoup et grâce à ces petites feuilles à mâcher, l'argent (déjà) rentrait plus vite dans les caisses.

Au XIXe siècle

Vers 1855-1860, deux chimistes allemands parvinrent à extraire la cocaïne des feuilles de coca. Ce n'est que vers 1880 que cet alcaloïde allait connaître son heure de gloire. On fit d'abord des expériences farfelues : on testa le produit sur un bataillon de soldats bavarois avant de l'employer en chirurgie comme anesthésiant local. Aussitôt, ce fut le raz de marée. Les médecins la prescrivirent contre le rhume, l'asthme. Une bonne migraine, un peu de mélancolie, d'hystérie, d'insomnie (!)... Mais sniffez donc, mon cher.

Freud

Un des tout premiers adeptes et l'un des plus fidèles, fut sans conteste le bon docteur Freud. Dès 1884, il plonge la tête dans le baril * pour ne plus la ressortir. On lui doit une étude consacrée à la coke où il note finement : « L'humeur où nous plonge la cocaïne ne résulte pas tant d'une excitation directe que de la disparition des éléments déprimants de l'état d'esprit en général. » Aux USA, plusieurs ouvrages récents vont même jusqu'à s'interroger sur la validité des théories psychanalytiques. Et si, après tout, ce système n'était que l'échafaudage intellectuel délirant d'un toxicomane ? La polémique fait rage, d'autant que cette hypothèse est avancée par l'ex-directrice des archives Freud en personne.

La fin de siècle

La coke est partout, et pas seulement à Vienne. On l'accommode à toutes les sauces. A l'époque, on en trouvait même dans l'innocent Coca-Cola qui se proclamait fièrement « le toxique idéal du cerveau ». Ce n'est qu'en 1903 que la substance disparaît du breuvage. Aujourd'hui, la firme supprime la caféine (produit de substitution. Voir p. 95).

Même le plus célèbre détective du monde était

intoxiqué, au grand dam du Dr Watson. Pour comprendre comment Sherlock Holmes résolvait ses énigmes, voir supra : la Promotion intellectuelle, p. 106.

Le vin Mariani

C'est le meilleur exemple de la popularité de la cocaïne dans la bonne société du début du siècle. On ne sait pas quelle proportion de cocaïne contenait cette potion, mais il ne fait aucun doute que la coke contribua à son succès. Malin, le docteur Mariani faisait des échanges avec ses plus célèbres clients : une caisse de vin contre un petit message publicitaire. On peut ainsi mesurer la fortune du produit parmi les élites de l'époque. La liste des consommateurs satisfaits est impressionnante : trois papes, seize chefs d'État et une pléiade de vedettes. Parmi les perles citons :

ZOLA : « élixir de vie ».

ANATOLE FRANCE : « il répand un feu subtil dans l'organisme ».

JULES VERNE : « capable de prolonger au centuple la durée de la vie humaine ».

BLÉRIOT : l'aviateur confessa avoir emporté avec lui une bouteille lors de sa traversée victorieuse de la Manche en 1909.

Le vent tourne

Vers 1906, aux USA, l'opinion s'émeut du succès considérable de la coke dans les bas-fonds et auprès des noirs. Elle devient synonyme de délinquance. La presse véhicule à son propos peur et fantasmes. On parle de grands noirs errant dans Harlem, les yeux injectés de sang, résistant aux balles des policiers pour aller sauvagement violer la femme blanche.

En 1914, Mariani meurt. Il n'aura pas vu le déclin

de son remède miracle. En effet, c'est cette même année que les premières mesures anticocaïne touchent la France. L'heure est à la défense, pas à la défonce. D'ailleurs, ce produit d'origine germanique n'est-il pas la dernière arme psychologique pour pourrir le moral de nos Poilus ?

Une longue éclipse

Après-guerre la cocaïne n'est plus consommée que dans des cercles restreints, snobs et mondains. C'est le triomphe du « stardust » * à Hollywood et de la « coco » * à Paris.

« *Sur une table de cuivre, la copine disposa du café, une lampe à opium coiffée de son chapeau de verre, deux pipes, le pot de pâte, la tabatière d'argent pour la cocaïne, un flacon dont le bouchon solidement enfoncé ne maîtrisait pas tout à fait la froide et traîtresse expansion de l'éther.* »

COLETTE, *La fin de Chéri*

En Europe, comme aux USA, la grande crise qui sonne le glas des années folles sonne aussi celui de la coke. C'est l'éclipse, encore renforcée par la seconde guerre mondiale. Dédaignée dans les années 70 au profit du cannabis et des hallucinogènes, elle revient brutalement en force au début des années 80.

Aux USA

Les organismes officiels (Santé Publique et CIA), estiment que :

22 MILLIONS d'Américains ont déjà goûté à la cocaïne.

5 MILLIONS en consomment régulièrement. Un

chiffre énorme qui s'explique par l'image de la coke. Sniffer, c'est faire partie de l'élite. C'est pourquoi la middle-class s'est mise à prendre de la coke. C'est ainsi qu'elle est devenue phénomène de masse.

En 1984, entre 74 et 95 TONNES de cocaïne ont été consommées (contre seulement 4 tonnes d'héroïne).

En 1984 encore, le cours de la coke à Miami s'est effondré de moitié, passant de 100 à 50 DOLLARS le gramme au détail.

Avec le crack (voir p. 100), tous les records devraient être battus.

Grâce à la NASA, la cocaïne est en passe d'obtenir son *exeat* scientifique : on projette de la prescrire aux astronautes car elle supprimerait le « mal de l'espace ».

Ces statistiques sont beaucoup plus sûres qu'en Europe. Nancy Reagan SAIT contre qui et quoi elle part en croisade. Il est vrai que, là-bas, le phénomène n'est pas occulté, en vertu du grand principe démocratique anglo-saxon : le droit des gens à l'information.

Stardust memories

De l'euphorie à l'angoisse, le cœur des sociétés balance dès qu'on parle de cocaïne. Aujourd'hui en état de grâce, un mouvement se dessine pour dresser l'apologie du produit : les effets ci-dessus décrits ne plaident-ils pas en sa faveur ? D'autant que, sur la prohibition du produit, pèse une ambiguïté qui entretient aujourd'hui encore la confusion et fournit des arguments de poids à ceux qui pensent qu'on a transformé le remède miraculeux des Indiens en une maladie occidentale. Nous ne les suivrons pas jusque-là, mais ils ont toutefois le mérite de soulever un vrai problème (même si c'est afin d'étayer un raisonnement vicié : pour nous, la coke reste une drogue dure, voir p. 116).

Ce qui est en effet contestable dans la prohibition de la « coco » c'est que la motivation des censeurs ait été *uniquement* d'ordre moral et politique. Tandis que les effets de la coke les incitaient à plus d'indulgence. Y aurait-il eu prohibition si ces effets, les mêmes pour tous, avaient conduit les pauvres dans les usines, les avaient amenés à construire des voitures à la vitesse grand V ? Hélas, aucun produit n'a jamais déterminé par lui-même l'usage qu'on en fait. Et celui-là ne pouvait que renforcer l'ardeur des classes défavorisées à lutter pour leurs droits. Quand, dans *Les Temps Modernes,* Charlot sniffe par erreur la coke contenue dans une salière, ce n'est pas pour serrer les boulons cinq fois plus vite mais pour tenter de s'évader ! En interdisant cette drogue les autorités firent d'une pierre deux coups : elles éloignèrent légalement le danger, les nuisances dues au « mauvais abus » de la cocaïne et la confisquèrent à leur profit pour « un bon usage », en en faisant la substance la plus chère du monde.

La cocaïne pouvait désormais ressembler à ses juges : comme eux, elle était hors d'atteinte et hors de prix. Elle était devenue « The Stardust », la poussière d'étoile, faite pour les Étoiles de l'inaccessible rêve hollywoodien. Elle ne brillait plus désormais que sur les écrans des années 30, comme une poudre aux yeux qui procurait aux crève-la-faim, aux damnés du Krach, quelques heures d'euphorie et d'oubli.

Le revers de la médaille

Au premier abord, la cocaïne ressemble bien moins à une drogue que l'alcool, le tabac ou les tranquillisants. Ses effets subtils, en accord avec les valeurs porteuses des « années libérales », ne lui donnent pas l'apparence d'un produit à risque. Pourtant, à haute dose, la coke rend idiot, asocial, parano. La coke est une drogue dure. A force d'être de mieux en mieux, d'accumuler les PLUS, on finit par craquer. Être projeté au sommet de ses capacités signifie que l'on ne peut pas aller plus haut, que continuer c'est forcément redescendre la pente opposée : celle des inconvénients.

Le plus grand danger de la cocaïne, c'est que l'utilisateur ne trouve pas son plaisir dans un état dont la nature serait différente du sien, mais dans un état dont le degré est supérieur au sien. Ce n'est pas « être » défoncé qui constitue le cœur de sa pratique, mais « se » défoncer. Par exemple, ce n'est pas la « vitesse » en soi qui intéresse ces toxicomanes, mais l' « accélération », la « montée », et, s'ils se piquent, le « flash * ». Ils auront donc tendance à reprendre de la coke non pas dès qu'elle ne fait plus effet, mais dès que le « plus » ne se fait plus sentir... ce qui signifie tout le temps, avec des doses de plus en plus fortes. Cette pratique est presque une caricature de toutes les autres dans la mesure où son mot d'ordre est « toujours plus haut » : elle est l'ABUS par excellence.

1) *Dégradation physique*

La coke accélère le vieillissement. Les grands cocaïnomanes ont les nerfs détruits. Les traits du visage tendus, ils grincent des dents sans s'en rendre compte et finissent par avoir des lésions dans les muqueuses du nez. Certaines victimes riches et célèbres se font alors poser des parois nasales en or. La cocaïne augmente aussi sérieusement les risques d'accidents cardio-vasculaires.

2) *Dégradation intellectuelle*

Un gros consommateur de cocaïne devient incapable de penser et de prendre une décision : en augmentant ses capacités de réflexion (cf. supra), la coke accroît aussi le nombre de paramètres dont il doit tenir compte. Aussi, il devient incapable de choisir, sombre dans la confusion et le désarroi psychologique. Il finit dans l'immobilité et le radotage. D'Archimède qu'il voulait être, il termine archicon.

3) *Dégradation sociale*

A long terme, la coke rend fou. Plus question de mondaniser ni même d'avoir une vie privée décente. Le cocaïnomane refuse toujours d'admettre qu'il est responsable de cette dégradation. C'est un complot orchestré par ses anciens amis, ces ignobles hypocrites qui poussent la traîtrise jusqu'à venir lui apporter du Coca-Cola à l'hôpital psychiatrique, le dernier salon où il peut briller. Pas trop quand même, l'infirmier n'est pas commode.

La coke, une vraie drogue dure

Pour toutes les drogues sans exception, USER signifie ABUSER. Mais ce qui marque la frontière des drogues dures, c'est qu'avec elles, le « MIEUX » mène toujours au « PIRE » et cela sans transition. Autrement dit, l'enfer qu'on finit par vivre est *dès le début* l'envers indéchirable du plaisir qu'on y prend.

Qui prend quoi ?

Un reportage effectué en 1984 par le magazine *Actuel* à l'occasion du « Centenaire de la Cocaïne », auquel nous nous référons ici, faisait apparaître une relation directe entre les types de consommateurs et la pureté du produit.

Coke à 0 %

Dealée par un « branché » à ses congénères. L'air des Halles ne semble pas favoriser les talents de goûteur. Cette coke 100 % amphétamine a aussi circulé dans les milieux de la presse. Toujours stressés, les journalistes trouvent naturel que la coke soit « speed » (surtout au moment où il faut « boucler » le prochain numéro).

Coke à 6 %

Même provenance, vendue au même type d'usagers. Seul le dealer diffère : ici entre en scène la figure bien connue du latinos *. Cette coke semble avoir touché en priorité les photographes professionnels.

Coke entre 10 et 12 %

La coke de monsieur tout le monde (voir Pureté p. 94). Elle circule dans les milieux d'affaires qui ont pris à la lettre la recommandation de Bernard Tapie : il faut se défoncer pour réussir. Mais elle fait aussi des ravages parmi les informaticiens super speed (il faut être plus intelligent que la machine) et les publicitaires en mal d'idées ou de sommeil.

Coke entre 13 et 15 %

Milieu de frimeurs par excellence, le show biz ne s'en laisse pourtant pas conter. Venue d'Amérique du Sud via l'Allemagne où elle a été coupée aux amphétamines, cette coke circule dans le monde du Rock.

La stardust

Pure entre 20 et 25 %, c'est le record de France. Acheminée par des micro-filières préservées, elle est consommée par des « happy few » exigeants.

Excepté la dernière catégorie, au fil des fluctuations de l'approvisionnement, des réseaux de copains et de relations, les pourcentages de pureté peuvent varier ou s'intervertir d'une catégorie à l'autre.

... Et comment?

Mais, avant tout, la qualité de la coke dépend de l'us ou de l'abus qu'on en fait. On distingue :

L'usage récréatif

Pour consommateurs occasionnels. Ils font appel à la coke pour améliorer une soirée, séduire une fille... Peu importe ce qu'on sniffe, l'important c'est que la coke soit chère. En général, le nombre et la grosseur des lignes étalées sur la table ne produisent qu'un seul effet : rappeler aux autres l'épaisseur du compte en banque de celui qui les offre. Pour ceux qui y sont sensibles, le vertige est assez souvent assuré. Pour les autres, ils se rendront compte que, si l'argent n'a pas d'odeur, il peut en revanche leur arracher le nez.

L'usage professionnel

Un disque à finir, une commande de dernière heure, une complication inattendue la veille de la livraison au client, un rendez-vous avec un chasseur de tête... Vite, un peu de coke : haut les cœurs, haut les narines et bas les porte-monnaie. Il n'est pas gênant que la coke soit bourrée d'amphétamines. Mais plutôt que de consommer directement des plaquettes de Dinintel *, ce consommateur aura l'impression en prenant de la coke d'ajouter une immense plus-value à son travail.

L'usage quotidien

Le consommateur possède alors une filière d'approvisionnement privilégiée. Mais, vu les quantités énormes qu'il ingurgite, il se transforme rapidement en aspirateur prêt à sniffer tout ce qui passe. Si la qualité est là, tant mieux. Sinon il fait avec. Capable d'effectuer de véritables marathons « coke en stock » pendant 70 heures d'affilée (ou plus) avant de s'effondrer sur la banquette d'une boîte, le canapé d'une copine qu'il est passé chercher dîner ou sur son bureau à l'agence...

L'usage dur

Rarement le fait d'un cocaïnomane exclusif mais plutôt d'un polytoxicomane dont l'héroïne est la substance favorite. La coke est prise en shoot, pendant des nuits entières, tous les quarts d'heure. L'anesthésie du bras se double d'une implosion permanente. C'est lorsque le filon se tarit brutalement que, le manque de sommeil aidant, ce consommateur peut devenir violent et dangereux. La coke alors cesse d'être une drogue « clean * » mais provoque des accidents graves tels que : défénestration, crime au couteau... et bien sûr, overdoses.

DOSAGE MORTEL : En cas d'injection, la dose mortelle est de 1,2 gramme (1 200 mg) de coke pure. Mais de sévères complications peuvent survenir dès 20 mg.

N. B. Les overdoses de coke, comme celles dues à l'héroïne, sont des accidents respiratoires. LA MORT N'EST PAS INSTANTANÉE : en attendant l'ambulance du SAMU, il faut faire du bouche-à-bouche. (Voir chapitre OD p. 149), pour plus de précisions.)

Les dealers

Dealer de la coke est un métier qui ne procure pas seulement de l'argent mais aussi un certain statut social. Plus que tout autre dealer, celui-là est aussi consommateur. Sa meilleure technique de vente est le refus : « Non, celle-là c'est de la pure que je garde pour moi », tempéré ensuite par un charitable « mais je veux bien t'en vendre un peu... parce que c'est toi ». Avec le bénéfice dégagé lors de ce genre de transactions (ruineuses pour lui!) il va racheter la même quantité de coke « pure » que celle qu'il vient de vendre, en consommer à nouveau une partie, manger, s'habiller...

Le latinos

Sud-américain authentique ou d'opérette, il jouit toujours d'une réputation d'exception. Une croyance tenace veut que son origine garantisse du même coup la provenance de ce qu'il vend. Pourtant le plâtre et les amphétamines restent made in Paris. Il arrive quand même qu'il soit effectivement l'aboutissant d'une filière authentique. Alors le trafic est souvent familial, il s'opère avec la complicité involontaire des PTT qui acheminent des cartes postales « double épaisseur » recelant une mince pellicule de coke. Toujours moustachu, brun aux yeux de braise, avec option queue de cheval pour les plus branchés, il est aussi grand amateur de consommatrices. Son accent est aussi « voyant » que sa tenue de gaucho mâtiné de garçon de bain. Généralement parano (effet spécial de la coke et symptôme habituel du dealer), il voit les flics descendre par les cheminées, est persuadé que sa concierge est un vrai faux travelo de la brigade des stups... En France, il a froid. C'est pourquoi il sévit dans des endroits chauds comme les boîtes de nuit, le bois de Boulogne, etc.

Le petit malin

Les poches vides, c'est un gros nul. Fourni par le précédent, il tire tout de son commerce : sa notoriété, son train de vie et surtout ses relations plus ou moins prestigieuses. S'il a pour client une célébrité, il s'y consacre presque exclusivement et devient très discret. S'il est fournisseur d'un studio d'enregistrement ou de cinéma, il s'autoproclame « assistant ». Celui-là utilise la coke comme un outil de promotion, en espérant profiter de ses contacts pour se reconvertir brillamment. Mais il n'a jamais déterminé avec précision la nature de cette reconversion. Il ne pense pas non plus un instant que dès que ses clients auront arrêté de « sniffer », ils ne supporteront même plus d'entendre prononcer son nom.

Ces dealers opèrent tous dans des cercles restreints, par relations personnelles. Ils recrutent de nouveaux clients dans les « fêtes » et les boîtes, jamais dans la rue. Quand un client leur doit trop de millions, ils utilisent la menace du scandale public et ne mettent à exécution que celle du vulgaire passage à tabac habituelle au milieu. (« Et pour toi, ce sera la lettre de dénonciation anonyme », pense le mauvais payeur.)

L'HÉRO

Les mots

Le vocabulaire de l'héroïne est le plus fourni. C'est la substance sur laquelle pèse le plus fort interdit, de plus, c'est une drogue d'exclusion (dans tous les sens du terme) dont les pratiques sont peu conviviales. Comme tous les argots « durs », il vieillit très rapidement. Consommée à des stades de raffinage différents, chaque état intermédiaire de l'héroïne porte un nom spécifique. Mais le tableau qui suit envisage uniquement l'appellation générique. Pour les variantes, voir le chapitre Qualités, p. 130.

Les chimistes fabriquent	**IN** on prend aujourd'hui	**OUT** on prenait hier	**Préhistorique** on disait dans les films avec Jean Gabin
Diacétyl-morphine = Héroïne	**Poudre** **Drepou** en verlan **Dreupe** **Héro** **Dope**	**Neige** **Came** **Bourrin**	**Schnouff** **H** **Cheval** **Horse**
Mode de consommation :			
Injectée en intraveineuse	**Shoot** **Fix**	**Shoot** **Trou** (se faire un) **Bing**	**Piquouze**
Fumée	**Blow** **Smoke the dragon**		
Prisée	**Sniff**		

La chose

L'héroïne est un analgésique que l'on classe dans la famille des dépresseurs du système nerveux central. C'est un alcaloïde de l'opium. Voici sa généalogie :

Le pavot * : la plante, matière première cultivée.

L'opium * : la matière première extraite de la plante (voir annexe).

La morphine * : premier alcaloïde de l'opium.

L'héroïne * : morphine raffinée ou diacétylmorphine.

L'héroïne est un produit qui a été découvert assez tardivement dans des circonstances pour le moins curieuses. En 1874, en mettant au point la diacétylmorphine, les médecins pensaient avoir trouvé un produit de substitution capable de guérir les morphinomanes de leur dépendance. Ils ignoraient qu'ils venaient d'accoucher d'une substance encore plus dangereuse qui allait devenir un des grands best-sellers de la toxicomanie du XXe siècle.

Prête à consommer, l'héroïne se présente sous la forme d'une poudre, conditionnée en képas (paquet en verlan), à la dose ou au poids (cf. p. 196). On peut la sniffer, la fumer ou l'injecter par voie intraveineuse, après l'avoir dissoute dans l'eau (voir le Shoot, p. 137).

Origines et qualités

Prendre de la poudre, ce n'est pas prendre QUE de l'héroïne : c'est prendre aussi beaucoup d'autres produits, plus ou moins toxiques, avec lesquels on la coupe. Soit pour en augmenter la quantité, soit pour en potentialiser l'effet.

On peut s'étonner en regardant le tableau du faible pourcentage d'héroïne pure contenue dans les doses vendues. Avant toute chose, il faut savoir qu'une poudre à 100 %[1] est seulement deux fois

Type d'héroïne	% d'héroïne		Produits de coupe actifs	Produits de coupe morts
	Domicile	Rue		
Blanche	3 à 15 %	Néant	Caféine, barbituriques, amphétamines	Lactose, glucose, manitol, aspirine Plâtre, farine
Brune	3 à 10 %	2 à 6 %	Caféine, barbituriques, amphétamines, codéine	Lactose, glucose, Netux, Néocodion (pils) Terre, café soluble
Rose	Néant	2 à 5 %	Strychnine, codéine, caféine, barbituriques, amphétamines	Lactose, amidon, vinaigre Fond de teint...

1. C'est une pure hypothèse, l'héroïne à 100 % n'existe pas. Le degré maximum de pureté atteint par les chimistes actuels est d'environ 75 %.

meilleure qu'une poudre à 10 %. Ou, si on préfère, une poudre à 20 % n'est pas deux fois meilleure qu'une poudre à 10 %. Les effets varient selon une courbe logarithmique qui explique qu'un produit dosé à 3 % ou 6 % fasse quand même de l'effet.

La raison pour laquelle les trafiquants ajoutent des produits de coupe actifs est simple : si on isolait les 3 % d'héroïne pure que contient un paquet à 100 F, par exemple, et qu'on les injectait ainsi dans le sang, le flash *, même minuscule serait garanti, l'effet aussi. Mais la quantité de poudre contenue dans le paquet serait microscopique, donc invendable. Aussi ajoute-t-on des produits de coupe inactifs pour « faire du poids * ». Ils noient les 3 % d'héroïne qui ne peuvent plus faire les mêmes effets que s'ils étaient restés concentrés. Alors, pour pallier cette noyade, pour donner quand même les sensations du flash et de la montée * (voir p. 148) on ajoute des produits de coupe actifs qui remplacent certaines des sensations procurées par l'héro. De plus, ces produits accroissent la dépendance; ils accrochent parfois bien plus sûrement le consommateur que l'héroïne elle-même.

L'équation du trafiquant est d'une simplicité redoutable : ADDITION = ADDICTION = ARGENT (Addition).

Pour l'héroïnomane cela se présente *presque* de la même façon : ADDITION = ADDICTION = ARGENT (Soustraction).

ATTENTION : ÊTRE ACCRO À LA POUDRE CE N'EST PAS SEULEMENT ÊTRE ACCRO À L'HÉROÏNE, et décrocher sera d'autant plus angoissant et difficile qu'on ne saura jamais exactement de quels produits on est dépendant.

Les trois héroïnes

Dans le genre héroïne on distingue trois espèces. Chacune se présente différemment et produit des effets spécifiques. Le prix lui aussi varie. Ce n'est pas tant l'origine que le degré de raffinage et le conditionnement qui jouent ici un rôle prépondérant. Chaque type d'héroïne est produit par une filière précise pour un marché bien déterminé. Ce marché influe beaucoup sur la présentation de la substance. C'est un peu comme un maquereau que l'on vend nature, en boîte ou au vin blanc... Au bout du compte, c'est toujours du maquereau mais il procure à son consommateur une satisfaction différente et ne s'adresse pas forcément au même public.

La blanche

Comme son nom l'indique. Cette poudre immaculée, si elle n'a pas été trop coupée, se dissout instantanément dans l'eau. Sinon il faut chauffer le « mélange » (voir le Shoot p. 137). Elle provient surtout d'Asie du Sud-Est, le fameux Triangle d'Or. Elle est réapparue en force sur le marché après avoir été éclipsée par la grande vague d'héroïne chinoise au début des années 80 (voir infra : la Rose).

Lorsqu'elle est très pure (là-bas seulement), le « flash * », sensation première du consommateur qui se shoote, est le meilleur qui soit. Dans le cas contraire, elle ne procure pas un effet immédiat très puissant, mais un plaisir plus profond, plus durable, une dépendance physique moindre mais un effet de manque psychique plus intense.

C'est l'héroïne mythique par excellence. C'est aussi la plus chère : elle n'est pas vendue au képa

(à la dose) mais au poids, 1/4 de gramme, 1/2 g....
Un gramme = 1 200 F environ
Un gramme à la prison de Fleury-Mérogis = 2 400 F.
La qualité est en général supérieure.

N.B. Un gramme, c'est la quantité moyenne consommée QUOTIDIENNEMENT par un héroïnomane dépendant. Comment fait-il ? Voir p. 173.

La brune

Comme son nom l'indique. On dit aussi du « brown » ou « brown sugar » pour désigner ce mélange d'héroïne peu raffinée et de beaucoup d'autres choses (voir *tableau* p. 130). Elle se présente sous l'aspect d'une poudre brunâtre plus ou moins foncée selon sa provenance mais aussi son degré de pureté. Entre elle et la « blanche », il y a la même différence qu'entre un grand cru et un vin ordinaire. Ses effets sont plus violents, mais plus grossiers et plus brefs. Elle crée une dépendance physique puissante et tenace.

Chanté par les Rolling Stones le « brown sugar » provient d'Asie Centrale (Inde, Pakistan, Iran...) et du Proche-Orient (Turquie, Liban...). Aux USA, elle vient du Mexique (le mexican brown) depuis le démantèlement de la French Connection. Elle a été moins menacée que la blanche par l'invasion de la rose. Consommée au départ par les noirs de New York, elle a toujours occupé une place constante sur le marché. Elle se vend indifféremment au poids ou à la dose.
1 gramme = 900 F environ

N.-B. Chaque pays est intoxiqué par ses anciennes colonies. En France, la blanche venue d'Indochine domine, tandis que l'Angleterre par exemple, est envahie par la brune de son ex-Empire. (La situation des États-Unis est assez semblable vis-à-vis de l'Amérique du Sud et pas seulement en ce qui concerne la cocaïne. Voir p. 113.)

La rose

Comme son nom l'indique. On l'appelle également « Chinese Rock » (caillou chinois). Cette héroïne en cristaux est commercialisée par les filières chinoises et règne en maître sur toute l'Indonésie et les pays de la mer de Chine.

C'est typiquement un produit marketing, spécialement créé pour percer et s'imposer sur le marché occidental. Son succès a été fulgurant en raison de :

– Son faible prix.

– Sa présentation : pour consommer ces cailloux solides il faut nécessairement les dissoudre dans l'eau. Trop humide pour être pilée puis sniffée, cette héroïne est obligatoirement consommée en intraveineuse.

– La dépendance ultra rapide engendrée par les produits de coupe.

Pour être accro *, quelques prises répétées suffisent. On obtient la couleur rose grâce à des méthodes de raffinage spécifiques et surtout à l'adjonction de strychnine *. Cela garantit le flash. On ajoute également des produits qui la coagulent et du vinaigre. La substance obtenue se présente sous forme de petits cailloux couleur sang séché ou semblables à du fond de teint selon les cas. Cette solidité supprime en principe toute suspicion à la vente : le petit dealer ne peut pas la couper davantage. Mais les demi-grossistes ne s'en sont pas privés. Plus que toute autre drogue, celle-là est vraiment de la merde.

Elle a investi en masse le marché mondial au début des années 80. C'est elle qui est responsable de la « démocratisation » de l'héroïne. Peu chère et abondante, elle est vendue à la dose. Il y a encore deux ans, on en trouvait plus facilement que de l'herbe.
Prix de lancement défiant toute concurrence : 100 F pour deux shoots.
Aujourd'hui, les prix se sont alignés, provoquant son reflux.
Afin d'apprécier vraiment ce qui traîne sur le marché de l'héroïne, on complétera cette description en lisant : L'Algèbre du besoin p. 153.

Pour obtenir la meilleure héroïne possible, il faut rechercher la filière la plus directe depuis son pays d'origine. C'est pour cette raison que de nombreux junkies * tentent chaque année d'aller s'approvisionner à la source, dans le Triangle d'Or. A leurs risques et périls...

Goodbye blaireau
ou
Bons souvenirs de Bangkok

Le petit consommateur qui s'aventure seul en Asie du Sud-Est, pensant pouvoir faire des emplettes de qualité supérieure puis rentrer chez lui sans problèmes est un grand naïf, un inconscient ou un suicidaire. Dès l'aéroport, de grandes pancartes avertissent les touristes des risques encourus : peine de mort ou prison à vie (dans le cas des États les plus cléments) pour consommation ou détention d'héroïne. Le cas de Béatrice défendue par la plume de Didier Decoin a ému la France profonde. Hélas, ils sont des centaines, de toutes nationalités à tomber chaque année dans le panneau. Aller chercher l'héroïne à la source est un privilège que gros bonnets et filières organisées défendent âprement. Les intérêts géopolitiques et économiques sont trop importants pour qu'on laisse les blaireaux * y mettre le nez.

Le scénario est classique. Acheter de l'héroïne est un jeu d'enfant. Le problème est que le dealer est aussi toujours indicateur de police. Grassement payé pour chaque dénonciation, il n'hésitera pas à balancer son client dès que celui-ci aura tourné les talons. Reste à coffrer l'imprudent à son hôtel.

Autre grand classique : la technique des « mules * ». Une filière a organisé l'acheminement d'une grosse quantité d'héroïne un jour donné. Pour détourner les soupçons, elle trouve une mule : petit consommateur à qui on a vendu une faible dose de mauvaise héroïne et qui a eu l'impression de faire une bonne affaire. (Les moins scrupuleux des trafiquants glissent un échantillon au hasard dans la valise d'un touriste lambda.) Il n'y a plus qu'à passer un petit coup de téléphone à la douane pour dénoncer la mule. Le raffinement consiste à choisir un passager émotif que la peur trahira. Qui ne le serait pas avec 200 g d'héroïne dans les intestins? Dans le vol suivant, parfois dans le même, passera plus facilement la vraie cargaison.

Dans ces pays la tentation coûte cher, très cher en temps et en argent (avocats marrons, combines diverses, chantages officieux à haut niveau : échange fils de diplomate américain contre usine clé en main, par exemple). Un arrangement n'est possible que lorsque l'on a VRAIMENT les moyens. Sinon, dans les baraquements de la mort, le junky pourra toujours patienter en entretenant sa toxicomanie : en plus des coups, les matons font des shoots bon marché avec des stylos Bic en guise de seringues.

Comment se prend l'héroïne ?

On peut la sniffer (priser) de la même façon que la cocaïne (voir p. 97), ou bien la fumer. Cette technique s'apparente à celle du blow précédemment décrite. Inspirer la fumée qui se dégage de l'héroïne chauffée sur du papier aluminium, se dit en anglais « smoke the dragon * » (fumer le dragon). Sans commentaire.

N'importe quelle méthode peut être en principe adoptée pour consommer l'héroïne; y compris de l'intégrer à des suppositoires évidés, fondus et remoulés... Chacune peut avoir ses adeptes exclusifs. Mais l'injection en intraveineuse (ou shoot) est la forme la plus répandue.

Le shoot

Un shoot *, de l'anglais to shoot = tirer, désigne une injection d'héroïne en intraveineuse. Ce n'est pas une pratique obligée, mais, après avoir sniffé, on passe souvent au shoot par souci d'économie : il faut moins de substance pour obtenir le même effet. On peut aussi commencer directement par l'injection. La seringue constitue en tout cas une frontière.

Il est rare que l'on s'accroche sans avoir sauté le pas. Le monde des héroïnomanes est ainsi coupé en deux sectes qui se méprisent cordialement : les junkies (ceux qui shootent, l'immense majorité) et ceux qui ne shootent pas ou pas encore. Souvent, le plaisir du geste compte énormément.

Le mélange

Dans une petite cuillère, le junky dissout l'héroïne dans de l'eau. Comme elle est rarement pure, il doit souvent chauffer le mélange à l'aide d'une flamme de briquet et rajouter une goutte de citron ou de vinaigre pour mieux la dissoudre. Il transfère ce mélange dans sa seringue généralement appelée « shooteuse » ou « pompe » en le filtrant à travers un petit morceau de coton afin qu'aucune poussière ne s'y introduise et ne se promène douloureusement dans ses veines.

La piqûre

Très vite le junky ne parvient plus à se piquer dans le creux du bras. Les veines sont devenues trop dures, la peau trop épaisse à force de cicatrices. Il doit alors se piquer ailleurs. Les cas extrêmes : dans le pied, sous la langue ou en intramusculaire. Souvent, au moment de l'injection il pratique une ou plusieurs « tirettes ». Après avoir poussé le liquide, il tire de nouveau sur le piston pour faire revenir un peu de sang dans le réservoir. Le but avoué de cette manœuvre est de ne perdre aucune goutte du mélange. En fait, les tirettes sont peu efficaces, elles n'ajoutent objectivement rien au plaisir mais témoignent de la complaisance de l'usager envers cette pratique. Le junky est souvent un piquomaniaque * : par exemple, il est fréquent qu'en état de manque il s'injecte n'importe quoi, y compris de l'eau. Non pas pour rechercher une sensation de substitution mais afin de compenser le manque par le geste rituel.

Les problèmes d'hygiène

Pour se shooter dans de bonnes conditions, le junky devra disposer d'une salle de bains, d'alcool, d'antiseptiques divers, et prendre cinq minutes pour désinfecter son instrument... La dépendance dégrade considérablement ces conditions. Le junk va tenter de se faire un shoot dès qu'il aura touché son képa d'héroïne. Il se précipite alors dans le premier café, fonce dans les toilettes et se fixe (pique) en utilisant l'eau de la chasse, dans les conditions qu'on peut imaginer. Pour sauvegarder leur réputation les cafetiers qui « ne veulent pas d'histoire » ont trouvé la parade. Ils poinçonnent d'un trou leurs petites cuillères ou ne délivrent que des bâtonnets en plastique type cafétéria. A Paris, dans les quartiers où opèrent les dealers, il est quasi impossible à un consommateur jeune de commander un thé citron sans paraître immédiatement louche (c'est la commande standard du junk qui lui fournit en plus le citron indispensable pour dissoudre son héroïne). S'il ne dispose pas rapidement d'une seringue, il utilisera la première venue, telle quelle. C'est de cette manière que les infections virales se transmettent à la vitesse de la peste médiévale. De l'hépatite au SIDA les risques ne manquent pas.

Les seringues en vente libre?

On ne sait pas si le SIDA est une vengeance divine, un miasme tropical ou une arme bactériologique. La seule chose dont on soit sûr est qu'il frappe d'abord les homosexuels et les junks * et atteint ensuite le reste de la population. Là encore les chiffres manquent, mais on estime que 80 % des toxicos recensés par les services de santé parisiens sont porteurs du virus. Ces données semblent avoir décidé Mme Barzach, ministre de la Santé, à mettre enfin les seringues en vente libre. Une décision qui ne manque pas de courage, mais qui, pour aboutir, devra surmonter les réticences de certains groupes de pression et ne pas demeurer « provisoire ». Certains pouvoirs publics et une partie des spécialistes sont encore opposés ou sceptiques face à cette libéralisation de la vente. D'après eux cette mesure serait :

1) *Inefficace*

Les junkies ne changeraient rien à leurs habitudes désastreuses.

2) *Prosélytique*

Se procurer plus facilement une seringue = se shooter plus facilement (ou plus légalement). Donc augmentation du nombre possible de junkies. Le raisonnement est spécieux. Il s'appuie sur les réponses de la population toxicomane carcérale à des questions du type : utiliseriez-vous des pompes * neuves, si elles étaient en vente libre ? Non, disent-ils. Ceux-là ont déjà pris le pli, et n'ont pas de raison de modifier leur pratique. Pour lier la sauce on ajoute un soupçon de psychiatrie, on dit que les junkies défient la mort, sont déjà par nature suicidaires (même Michel Rocard véhicule de telles âneries) et donc se contrefoutent des virus. Ainsi, le tour est joué : marginalisation sociale mais aussi marginalisation sanitaire. Le vieux fantasme de l'enfermement dénoncé par Foucault a la vie dure. Il est commode qu'un drogué soit aussi un lépreux; pour résoudre le problème, il suffit de l'isoler. Comme un virus qui attaquerait le corps social de l'extérieur. Il y a là une hypocrisie scandaleuse. La rareté des seringues n'a jamais empêché personne de se shooter (comme le prix de l'héroïne d'ailleurs, voir p. 79) elle dissuade simplement de le faire dans de bonnes conditions.

LUTTER CONTE LA TOXICOMANIE CE N'EST PAS SEULEMENT RESTREINDRE LA CONSOMMATION C'EST AUSSI RÉDUIRE SES CONSÉQUENCES POUR L'USAGER.

C'est bien le point du débat qui a séparé le garde des Sceaux de sa collègue de la Santé. M. Chalandon lutte contre la drogue, ce qui l'intéresse, c'est que diminue le nombre des junkies, quitte à augmenter le pourcentage de victimes du SIDA, parmi cette population toxicomane. Mme Barzach, elle, a la santé des citoyens comme premier souci.

De plus, la vente libre des seringues permettrait d'éviter que les nouveaux toxicos ne contractent les dramatiques habitudes de leurs aînés. Il est idiot de dire qu'ils préfèrent économiser vingt francs pour s'acheter encore plus de poudre. On n'achète pas vingt francs de poudre en plus et aucun junky n'a jamais fait cinq fois l'économie de vingt francs = 100 F = un paquet. Et même s'ils n'étaient que quinze pour cent à préférer une autre alternative, il serait criminel de ne pas laisser à ces quinze pour cent là le droit de choisir l'hygiène contre la contagion.

En attendant les décrets d'application [1] *qui devraient entériner les décisions de Mme Barzach, signalons au passage :*

1) qu'il n'est pas compliqué de désinfecter une pompe. N'importe quel liquide contenant plus de 30 % d'alcool détruit au moins le virus du SIDA;

2) qu'il faut la rincer IMMÉDIATEMENT après l'avoir utilisée pour ne pas laisser à l'intérieur d'infimes particules de sang coagulées pouvant contenir le virus;

1. A l'heure où nous bouclons ce livre, 16/3/1987, ces décrets n'ont pas été pris, à cause de délais administratifs évidents. Espérons qu'à l'heure où vous lirez ces lignes, ces mesures d'urgence seront déjà intervenues.

3) qu'un junk reste un junk et qu'il préférera se taire pour utiliser la pompe d'un autre plutôt que d'avouer qu'il est séropositif. Cela n'arrivera sans doute plus lorsque les seringues seront en vente libre. Ce sera au contraire un argument (tout à fait en accord avec la logique du junky) pour ne pas prêter sa seringue.

Toutefois, une interrogation subsiste. Qu'arrivera-t-il si les policiers interpellent un individu possesseur de seringues-en-vente-libre ? Sera-t-il obligatoirement suspecté d'être toxicomane ? Auquel cas, on peut être assuré que la vente libre n'aura pas tous les effets escomptés : les junkies ne sortiront pas avec leur matériel en poche, et, au moment de l'approvisionnement, loin de chez eux, ils se piqueront dans les mêmes conditions qu'avant (voir chapitre précédent).

Que se passe-t-il quand on prend de l'héroïne ?

Quelques secondes après un shoot ou cinq minutes après un sniff, on est raide (drogué).

Extérieurement

Quelques symptômes permettent de le vérifier. (L'héroïnomane lui-même y a parfois recours lorsqu'on lui a vendu une poudre à l'efficacité douteuse) [1].

– **Les pupilles rétrécissent** comme sous l'effet d'une lumière vive. D'autant plus visible qu'on a les yeux clairs.

1. Cette description ne vaut que dans le cas d'un effet maximum. Qu'on soit dépendant ou qu'il s'agisse de la première fois.

– **Les traits du visage s'affaissent,** le teint pâlit ou verdit s'il est déjà pâle. Il devient très difficile de garder les yeux ouverts. Cela confère à l'héroïnomane l'aspect hébété et la mine déconfite de quelqu'un qu'on tire du lit en pleine nuit. Même une jolie fille n'y résiste pas. Pas question non plus d'avoir l'air intelligent.

– **Terribles démangeaisons.** Contrairement au singe, les junkies ne se grattent pas les uns les autres. En matière de démangeaison comme en tout, c'est ici la règle du chacun pour soi qui prévaut. Même si on a appris à se gratter discrètement, impossible d'avoir l'air distingué.

– **La tête est lentement mais irrésistiblement attirée vers le bas.** Bien raide, l'héroïnomane finira toujours par manger sa purée avec le nez. Puis, se redressant dans un violent sursaut, il se plaindra de la mauvaise nuit qu'il a passée. Le cycle se répète bien après que la purée soit froide...

– **On fume plus mais moins.** L'héroïnomane allume cigarette sur cigarette, mais n'en fume chaque fois que le premier centimètre, les autres se transforment en une longue cendre qui finit par le réveiller en lui tombant dessus. Les cendriers ne servent qu'à écraser les mégots récupérés in extremis sur la moquette après qu'ils lui aient brûlé les doigts. Certains junkies sont même morts brûlés dans leur lit : endormis ils avaient laissé le feu de leur cigarette couver sous le matelas [1].

– **La voix devient plus grave** et les sons qu'elle émet, plus rares ou réduits à quelques borborygmes : « uuuuèèèèè, naaaan, hiiinnn? Ava? »...

1. Mythe garanti 100 % années 70.

L'enfer

Pour l'héroïnomane les effets ressentis sont encore plus effrayants que ne le laissent supposer les quelques symptômes apparents. On ne comprend pas cette torture volontaire si on n'a pas présent à l'esprit que L'HÉROÏNE PROCURE UN PLAISIR bien supérieur aux malaises qu'elle engendre. Dans l'ordre :
- on a mal au cœur
- on transpire
- on gerbe (vomit)
- on ne peut pas manger
- on ne peut pas pisser
- on est constipé
- on peut faire l'amour mais
- on ne peut pas jouir
- on peut mourir (facile).

La cigarette du condamné offre un sursis : elle permet de recommencer le processus à zéro (on a mal au cœur, on transpire...). L'héroïnomane qui ne fume pas, contrairement au reste de la population, a donc plus de chance de mourir.

Autre remarque : si les fonctions naturelles de l'héroïnomane sont réduites il n'en passe pas moins de temps aux toilettes. Gerber est un plaisir qui procure un sentiment d'éternité (voir infra).
Mais :
- il s'en fout
- peu importe
- et alors ?

Eh bien alors interviennent les autres effets de l'héroïne, *l'anesthésie et le plaisir.*

L'anesthésie

Tous les inconvénients physiques de l'héroïne que nous venons de décrire sont annulés par ses puissantes propriétés analgésiques. L'héroïne :

– Empêche d'avoir faim.

– Empêche d'avoir froid. Il devient possible de sortir en bras de chemise par moins quinze degrés. On voit pourquoi les maquereaux (proxénètes) préfèrent offrir une peau de lapin et quelques doses à leurs filles sur le trottoir plutôt qu'un vrai vison.

– Supprime totalement toutes les douleurs internes : maux de tête, de dos, d'estomac...

On comprend donc qu'il soit indifférent et parfois même agréable à l'héroïnomane de vomir.

Bien sûr, l'héroïnomane **sent toujours** son corps. Ce n'est pas une anesthésie chirurgicale complète ni même locale. Ce qu'il ne ressent plus, ce sont les dysfonctionnements, les malaises, les douleurs... Bref, tout ce qui pourrait lui rappeler de façon négative qu'il a un corps. Cet apaisement est aussi bien un oubli du corps.

Le plaisir

« *Lorsque l'âme est accablée de douleurs, qu'elle est mal avec son corps, elle est mal avec le reste du monde.* »

MALEBRANCHE, *Entretiens sur la mort.*

Les effets de l'héroïne ne sont pas directement de nature psychique. C'est au contraire une drogue très physique. Le plaisir qu'elle procure à l'esprit est **le**

contrecoup d'un puissant soulagement corporel. Toutes proportions gardées, il est analogue à celui produit par une cure de santé, de thalassothérapie... Le bien-être corporel (dû à l'anesthésie) fait disparaître le stress, les tensions nerveuses, tous les malaises qui se sont inscrits dans le corps. L'héroïne ne procure pas l'oubli puisqu'elle laisse intactes toutes les facultés intellectuelles et la mémoire. Mais en apaisant les tensions physiques, nerveuses, en mettant le corps entre parenthèses, elle permet un rapport au monde et à soi **déchargé de tout contenu émotionnel**. L'héroïnomane a des problèmes? Aussitôt défoncé, il s'en moque : cela ne se traduit plus par des angoisses... Il est tellement bien avec son corps (« dans sa peau »), son corps semble être tellement satisfait, apaisé dans ses besoins et ses désirs, que cela produit dans l'esprit un sentiment de plénitude, une disparition des tensions, des désirs... L'héroïnomane n'a pas besoin, à l'inverse du shitman, du monde extérieur, de musique, d'images... Il ferme juste les yeux et se ferme sur lui-même.

Le désir

Le sentiment de plénitude que produit l'héroïne est un *plaisir sans désir*, un plaisir sans mouvement, une jouissance calme et sans tensions. Il ne faut pas considérer le plaisir que procure l'héroïne selon nos critères de jouissance habituels : ceux de choses, d'objets qui nous feraient plaisir, tels un bon repas, une belle voiture, un loto gagnant ou même, comme on l'a souvent dit, un orgasme sexuel... Non, puisque le désir est aboli par l'anesthésie, puisqu'il y a ce sentiment de plénitude, cette séparation d'avec le monde, de tout ce qu'on peut en attendre, en espérer. C'est plutôt du côté du mystique, de la joie contemplative, qu'il faudrait chercher une comparaison.

Le plaisir engendré par l'héroïne est durable, il ne cesse pas aussitôt le désir satisfait puisque l'héroïnomane comblé ne désire rien. De même que le corps anesthésié est aussi bien oubli du corps, cette plénitude sans objet est aussi bien un vide. Elle est sans vie, immobile et ressemble à la mort. L'arrêt du désir et de la douleur, la paix absolue avec soi et avec le monde font qu'on ne veut plus rien, ou plutôt, qu'en voulant de l'héroïne on veut le Rien.

Une drogue métaphysique

Lorsqu'on connaît les effets de l'héroïne on comprend mieux pourquoi cette drogue est la plus dure.

« Je ne suis qu'un fantôme et je cherche ce que cherchent tous mes semblables – un corps – pour rompre la Longue Veille, la course sans fin dans les chemins sans odeur de l'espace, là où non-vie n'est qu'incolore non-odeur de mort. »

WILLIAM BURROUGHS. *Le Festin nu.*

Puisque l'héroïne met en jeu les « limites », il est normal que l'état immédiatement supérieur à celui du plaisir maximum (le flash) soit la mort (l'OD *). Qu'il suffise de quelques milligrammes de plus pour passer sans transition du contentement absolu au vide définitif. C'est, de fait, au moment du flash qu'on risque de faire une OD.

Le flash

On appelle flash la sensation violente et très brève qui succède à l'injection d'héroïne par voie intraveineuse. Il concentre tous les effets décrits précédemment avec d'autant plus de puissance que le passage de l'état normal (ou de l'état de manque) à l'état « raide » est quasi instantané. Manger un dessert après un bon repas, ce n'est pas la même chose que de le manger quand on a très faim. Tous les autres modes d'absorption ne procurent pas ce contact intense, cette brusque rupture. Le flash se traduit par un sentiment envahissant de chaleur dans les membres qui monte ensuite à la tête.

Il est comparable au brusque changement de tension artérielle qu'il nous est tous arrivé d'éprouver lorsqu'un mouvement violent suit une période de repos, ou à la vraie fringale du sportif. Le flash provoque des troubles de la vision (perception perturbée des couleurs et des reliefs du type négatif photographique). D'où son nom : la lumière d'un flash en pleine figure produit à peu près cet effet visuel. S'ensuivent un étourdissement et une perte d'équilibre.

Physiologiquement, au bout de quatre à cinq minutes, il reste 1,25 % d'héroïne pure : tout le reste a été brûlé. C'est la concentration, le « rush * », l'arrivée en masse, qui a provoqué cette « crête » qu'est le flash.

L'héroïnomane va très vite tomber « amoureux » de cette sensation au point de ne plus pouvoir absorber le produit d'une autre manière. Mais au fil des injections, avec l'accoutumance, l'intensité du flash s'atténue : l'héroïnomane va augmenter les doses pour tenter de le retrouver. Dès lors, le risque d'OD (Overdose) est connu, mais pas assumé de façon morbide. L'héroïne est en général tellement coupée qu'elle est incapable de provoquer seule ce flash. Pour le recréer artificiellement, on ajoute des produits de substitution actifs (voir *tableau* p. 130). Ce sont :

- la caféine (pour la blanche)
- les amphétamines
- la strychnine...

Ce sont tous des produits violents. Ils alimentent la destruction nerveuse qui accompagne l'accrochage (voir p. 156) et le manque (voir p. 160). Une bonne partie des overdoses leur sont aussi imputables.

L'overdose

L'overdose est un accident respiratoire qui ne devrait pas entraîner la mort. Il y a des réflexes simples à avoir lorsque une personne de votre entourage en est victime. La mort n'est jamais fulgurante, ce n'est pas une crise cardiaque mais un étouffement qui laisse le temps d'agir. Voir p. 151.

Trop jeune

C'est la première fois. Il n'y connaît rien, il en a trop mis. Il est mort.

Trop fatigué

La grande majorité des OD (abrégé pour overdose) ne provient pas d'une surdose proprement dite, mais, pour la même dose que d'habitude, d'une diminution momentanée de la résistance physique. Un jour, le junky sera plus fatigué qu'à l'ordinaire ou bien il aura pris des neuroleptiques, de l'alcool... Et son corps ne supportera pas la dose ordinaire à laquelle il fait pourtant face sans problème tous les jours.

Trop pure

Technique bien connue du « milieu » (moins des scénaristes de films) pour éliminer proprement un junky devenu encombrant. Au lieu de son héroïne habituelle, on lui fournit une substance très pure. Il va mettre la même quantité dans sa cuillère...

Trop

C'est l'OD du junk qui galère (voir p. 179). Comme toute habitude, l'addiction devient vite une lassitude. Le désir se fait alors pressant de rompre avec cette habitude qu'est devenue sa vie, lassante et insupportable. Mais, l'héroïnomane n'appréhende pas ainsi cette démarche qui, objectivement paraît suicidaire. (Pourquoi les grands drogués parlent-ils comme des profs ? NDLC.) Cela se traduit seulement par la peur... de ne pas être assez défoncé. De ne plus jamais retrouver le plaisir de la « lune de miel * ». Et il a raison, car la dépendance ne reproduit pas ce plaisir, mais l'entretient comme un état normal dans lequel il est plongé en permanence. On a du plaisir à emménager dans un trois pièces après avoir habité un studio, mais une fois installé depuis longtemps, la satisfaction de disposer d'un espace plus grand disparaît. L'accoutumance à l'héroïne produit le même sentiment. Le junky aura donc toujours tendance à en mettre non pas plus mais trop dans la cuillère. Et il le sait. Il connaît bien ses capacités de résistance, il sait que défonce maximale signifie peut-être aussi OD, mais il n'y pense pas (ou ne veut pas y penser ?).

Que faire en cas d'OD?

Un bon nombre d'overdoses mortelles pourraient être évitées si les toxicomanes eux-mêmes étaient plus informés ou s'ils ne cédaient pas à la panique. On peut éviter la mort en :

1) *identifiant l'OD.* La personne tombe en général tout de suite après le fix. S'il a encore l'aiguille dans le bras, le cas est très grave. Sa peau devient bleu-noir, de minuscules gouttes de sueur perlent par tous ses pores. Il est en train de s'asphyxier. Certains produits de coupe peuvent aggraver les choses en provoquant une forte tétanisation des muscles, la strychnine par exemple.

2) *agissant rapidement :*

– LUI COLLER DES BAFFES

– ESSAYER DE LE FAIRE MARCHER EN LE SOUTENANT SOUS LES BRAS.

Si en l'espace de trente secondes ces deux interventions sont sans efficacité :

– APPELER SANS DÉLAI LE SAMU OU LES POMPIERS (18)

– FAIRE DU BOUCHE-À-BOUCHE EN ATTENDANT. Surtout pas de massage cardiaque.

– ou bien AMENEZ VOUS-MÊME LA PERSONNE AU SAMU

– NE PAS INJECTER DE LAIT (ou quoi que ce soit).

APPELER LE SAMU, LES POMPIERS, CE N'EST PAS APPELER LA POLICE. Jamais personne n'est allé en prison pour avoir tenté de sauver une vie. Les services d'urgence viendront seuls et ne demanderont que le nom de la personne qui a fait l'OD, sans exiger de pièce d'identité d'ailleurs.

Pourquoi n'y a-t-il pas la police?

Parce que si elle accompagnait le SAMU, plus personne n'appellerait et que cela augmenterait sensiblement le nombre des morts, ce qui n'est la vocation ni de l'un ni de l'autre (quand même).

Parce que la police n'a pas grand-chose à voir avec la médecine (même si aujourd'hui on veut soigner les drogués avec des policiers) et que les médecins sont assez jaloux de leurs privilèges.

Toutefois, en cas de décès, la police viendra : raison de plus pour appeler le SAMU avant qu'il ne soit trop tard.

Pourquoi en meurt-on quand même?

Parce que le scénario classique décrit ci-dessus (tout junky a eu l'occasion d'y faire face au moins une fois) se transforme parfois en vraie tragédie. Elle est révélatrice de la mentalité de certains toxicomanes et de leur mode de sociabilité.

Chez le dealer : un toxicomane fait une OD. Le revendeur tentera de sauver son client en l'injuriant. Mais il ne voudra pas se compromettre en ayant recours à une aide médicale extérieure. Si les choses tournent mal, la police est assurée de retrouver le cadavre dans une poubelle, une décharge publique, un squatt *...

Entre consommateurs : encore plus minable. On n'appellera pas le SAMU et on tentera encore moins de sauver la victime parce que tout le monde s'en fout, sauf le propriétaire de l'appartement. Les gens réunis là ne se connaissent presque pas, l'héroïne est leur seul lien. Chacun va détaler par peur des conséquences, pour préserver une toxicomanie qui pourrait être compromise s'il intervenait et restait sur les lieux. En gros, chacun veut pouvoir faire son prochain shoot tranquillement.

Même si l'overdosé a des amis qui s'intéressent à son sort, le propriétaire de l'appartement mettra automatiquement tout le monde à la porte. Il ne pensera même pas à prévenir les Urgences quitte à déposer le mourant dans la rue, en bas de chez lui. Là encore, comme souvent en matière de drogues dures, les plus défavorisés ont plus de chances que les autres de mourir : que faire si on habite une cité mal famée où tout se sait, se voit, où les réactions des voisins qui se sont fait « braquer » quinze fois leur steupo *, (verlan pour poste = auto-radio) peuvent être violentes ?

L'overdosé peut avoir des réactions tout aussi déconcertantes, en vouloir à ses sauveteurs. En général, il se sent bien dans son coma, refuse d'en sortir, résiste, et parfois ne veut pas admettre qu'il a fait une overdose. Une fois réveillé, il faut continuer à le surveiller pour qu'il ne se laisse pas aller à nouveau.

« L'algèbre du besoin »

L'héroïne plonge son utilisateur dans un monde et une logique bien particuliers qu'ignore totalement son entourage. Désarmés, les parents s'en remettent à des spécialistes qui sont les seuls capables de déchiffrer cette algèbre. Mais, malgré toutes leurs compétences, ces spécialistes ne pourront jamais offrir au junky l'aide affective que devraient donner des parents bien informés et présents. Parce qu'il ne suffit pas pour être efficace d'entourer son enfant de tendresse, de lui faire la morale. Il est nécessaire aussi d'apprendre (ce qui ne veut pas dire accepter) dans quel monde il vit, ce qu'il pense et comment il agit avec les autres. Sinon on fait fausse route même en y mettant la meilleure volonté du monde. Par exemple :

Les erreurs les plus grossières que commettent les parents sont :

– D'ignorer totalement les mécanismes de la dépendance et, pendant des années, ne même pas identifier la toxicomanie de leur enfant.

– De croire ce que leur dit un enfant dépendant. L'héroïne rend menteur, d'abord avec soi-même ensuite avec les autres.

– De céder à la tendresse toujours interprétée comme de la faiblesse. Il faut avoir des principes et s'y tenir, pour rappeler l'héroïnomane aux valeurs qu'il a abandonnées.

– De manquer de patience, de se montrer déçu parce que malgré ses bonnes intentions, les efforts de son entourage, l'héroïnomane a « replongé ». IL FAUT DES ANNÉES POUR DÉCROCHER VRAIMENT. Ce n'est pas en six mois que l'on résout l'équation de la poudre. Ne parlons même pas des crises d'autorité désastreuses. Ces erreurs sont dues au fait que ceux qui ne connaissent rien à l'héroïne raisonnent selon les critères habituels, comme si leur enfant héroïnomane faisait encore partie de leur monde, comme s'il s'agissait d'une maladie qui ne modifiait pas radicalement sa mentalité.

Bons moments pour les parents

On lira dans les pages suivantes une description du parcours qu'empruntent nécessairement les héroïnomanes dépendants. C'est une information, pas une recette. Que les parents sachent à quoi s'en tenir. Ils se sentiront peut-être un peu exclus de ce trajet de l'héroïne, notamment parce qu'il semble désespérément long. Six à dix ans pour s'en sortir vraiment quand on rencontre la poudre, c'est énorme lorsqu'on a tout juste vingt ans. Mais l'héroïnomane lui, ne verra pas passer le temps à la même vitesse. Il semblera aussi aux parents très difficile d'intervenir, d'arriver à peser dans la balance face à quelques grammes de blanche. Mais, il faudrait poser au préalable une question qui dépasse largement le cadre de ce « reportage ». Peut-on forcer quelqu'un à être heureux ? La Liberté ne suppose-t-elle pas aussi la liberté de s'intoxiquer ? Nous croyons que l'héroïne parvient insidieusement à restreindre les capacités de décision, les choix de ceux qu'elle tient sous sa coupe. Comme elle anesthésie tous les sentiments qui déterminent, à la base, nos principes, l'héroïne annule tout système de valeur. Dans ces conditions où est la liberté ? A chacun d'en décider, aux parents de savoir si leurs systèmes de valeurs peuvent s'opposer efficacement à l'héroïne. Si, par exemple, leurs principes leur dictent de ne pas intervenir dans la vie de leurs enfants, libre à eux. Le seul paradoxe serait qu'ils lisent ces lignes.

Par contre, si les parents décident d'agir, qu'ils choisissent bien leur moment. Il en est deux, bien précis et particulièrement propices, dans l' « histoire » d'un héroïnomane où leur intervention peut être déterminante. C'est à ces moments-là qu'ils auront le plus grand poids et que leurs valeurs auront quelques chances d'être entendues, de constituer un « phare » pour celui qui est sans repères, à la dérive.

1) Au premier manque, à la fin de la « lune de miel ». On peut ici battre en brèche le discours de justification du junky (« je m'arrête quand je veux ») pour le confronter directement à sa dépendance. Il ne s'arrête pas quand il veut, il est en manque, il s'est menti.

2) Deuxième moment, celui de la lassitude, quand l'envie de décrocher se fait jour. Plutôt que de le laisser jouer avec l'overdose (voir *supra*), mieux vaut l'aider à rompre avec cet état. En changeant par exemple ses conditions de vie, en lui imposant des horaires, bref en passant avec lui des contrats pratiques, dont les parents rempliront les premières obligations, imposant ainsi un devoir de réciprocité. Inutile en revanche de le faire jurer sur des reliques.

Encore faut-il, au préalable, savoir reconnaître ces « bons moments ». Vous allez droit à l'échec si vous lui proposez ce genre de contrats alors qu'il est intouchable. Il l'acceptera pour avoir la paix et le rompra à la première occasion, et, s'étant ainsi décrédibilisé une fois, n'en contractera jamais un autre.

S'accrocher

Psychologiquement, l'accrochage est extrêmement rapide et même parfois instantané. Beaucoup plus fréquemment qu'on ne le croit, celui qui prend de l'héroïne pour la première fois en a déjà envie le lendemain, même s'il a été malade comme un chien. Le plaisir éprouvé est mis en mémoire comme le programme d'un ordinateur, toujours présent et prêt à être réactivé, même des années plus tard. Ainsi, tout consommateur d'héroïne risque de s'accrocher. Rien de fatal toutefois, tout dépend de la personnalité et du passé du consommateur. S'il est attiré par les stupéfiants, et par exemple, fume déjà du shit, il a des chances de rester un héroïnomane occasionnel parce qu'il possède d'autres plaisirs de référence. A l'inverse, celui qui découvre la drogue avec l'héroïne, médusé, risque de ne pas s'en remettre.

En dehors des considérations psychologiques, variables selon chaque cas, il faut préciser qu'on s'accroche plus ou moins facilement selon :

1) La façon dont on prend l'héroïne. Par ordre décroissant : le shoot, le blow (la fumer), le sniff.

2) La qualité. C'est-à-dire non seulement la teneur en héroïne mais aussi la nature des produits de coupe.

A quantité égale d'héroïne pure, le palmarès des poudres les plus « accrocheuses » est le suivant :

La rose. Elle détient manifestement le César de la toxicité. La strychnine, les amphétamines et autres produits destinés à pallier la ridicule quantité d'héroïne qu'elle contient, sont aussi ajoutés pour accrocher plus sûrement et plus vite le consommateur.

Seuil de dépendance physique : au-delà de cinq prises successives. C'est une poudre rentable, certains dealers disent même « de travail », une poudre « industrielle » qui semble avoir été conçue d'après une stratégie marketing très précise.

La brune. Moins raffinée que l'héroïne blanche, on s'y accroche plus facilement et on en décroche plus difficilement. Son aspect permet de multiplier les produits de coupe. On s'accrochera donc à la codéine *, la codéthyline. Accessoirement, à la caféine et autres excitants destinés à potentialiser ces produits un peu « mous ».

Seuil de dépendance physique : une dizaine de prises successives.

La blanche. On a là plus de chances de s'accrocher à l'héroïne proprement dite. Comme les produits de coupe doivent être blancs, pour qu'elle conserve son nom et donc son prix, ils sont plus limités. Caféine, amphétamines, barbituriques... Bref, le tronc commun inévitable (voir *tableau* p.130). La dépendance nerveuse est moins dure qu'avec les autres. Seuil de dépendance physique : plus de dix prises successives.

La tentation

On peut aussi évaluer psychologiquement les degrés de dépendance, selon l'intensité de la tentation.

1) *La tentation de la dope possible :*

On commence à s'accrocher lorsque, mis en présence de l'héroïne, on ne peut s'empêcher de vouloir en prendre. Pour qui a déjà été accro, c'est une des tortures les plus raffinées et aussi une façon de mesurer sa capacité de résistance. Même un consommateur occasionnel sera sensible à cette tentation.

2) *Céder à la tentation de la dope possible :*

Et la transformer en défonce réelle. C'est le stade supérieur du passage à l'acte. On peut pourtant l'éviter, même si on a été accro.

Jusque-là, la consommation d'héroïne n'induit pas que l'on soit dépendant. Ensuite commence la véritable dépendance.

3) *La vraie tentation :*

Contrairement aux stades précédents, on ne se contente plus de prendre de la poudre lorsqu'on en a l'occasion. On en a tout le temps envie.

4) *Céder à la tentation :*

C'est presque automatique quand on a atteint le stade précédent. On met tout en œuvre pour s'en procurer, quelles que soient les conditions. Il n'y a plus alors de problèmes d'argent, d'horaires, d'obstacles à abattre qui ne puissent se résoudre et ne soient déjà résolus. « Pas de problèmes », c'est le leitmotiv du junky et sa conviction. Il n'ira pas jusqu'au meurtre mais va élaborer des stratagèmes tellement raffinés et complexes, s'appuyant sur le désir des autres junkies, il va déployer une telle énergie... qu'il finira toujours avec une aiguille dans le bras.

N. B. Le junky sait que la même énergie employée à travailler le rendrait millionnaire. Mais lorsqu'il y pense, il conclut toujours : « Je pourrais me shooter sans problèmes. » C'est pourquoi il ne sera jamais millionnaire, les seuls qui y sont parvenus sont ceux qui ont arrêté.

Le manque

C'est lorsqu'il s'aperçoit qu'il est en manque que l'héroïnomane s'avoue qu'il est accro. Avant, il arrête « quand il veut ». Cette première période de mensonge varie en fonction de la taille de son compte en banque (+ le découvert accordé) ou de ses économies (+ celles de sa mère, de sa sœur...).

Physiquement

Le manque se manifeste par : des douleurs musculaires, des maux de ventre, un état fébrile, une hyper-réceptivité à la douleur, le tout agrémenté de spasmes incessants et réguliers. On le réduit en quatre ou cinq jours à l'aide de médicaments, en huit jours maximum lorsqu'on a dix ans de pratique (ça existe).

Mentalement

Les symptômes sont plus inquiétants. Le manque se traduit par : un état d'extrême fatigue, une hypersensibilité (le junky en manque pleure facilement en regardant un documentaire sur les animaux abandonnés, et par la même occasion, parvient à faire pleurer sa mère qui finalement lui donne cent francs). Cet état dépressif peut le conduire au suicide. Le manque provoque aussi un sentiment étrange que l'expression anglaise « low profile » (profil bas) traduit assez justement.

Ajouter pour couronner le tout, l'envie de ne rien faire, une absence *totale* de volonté et le junky a toutes les chances de se raccrocher. On comprend qu'il soit tout à fait inefficace et même ressenti comme une injustice de demander à l'héroïnomane en manque de se secouer un peu. Comme la victime d'une dépression nerveuse, il ne peut pas faire preuve de volonté puisque, justement, elle lui fait défaut.

Comment décrocher ?

1) Il faut y PENSER. On y pense lorsqu'on est en manque. On y pense même très sérieusement.

2) Il faut le VOULOIR. On le veut vraiment lorsqu'on est défoncé.

3) Il faudrait concilier les deux conditions précédentes. Incapable de résoudre ce paradoxe, le junky ne pourra décrocher que lorsqu'il y est contraint au moment opportun (quand il en ressent vraiment la nécessité et s'avoue la réalité de sa condition). Il est fréquent que ce décrochage commence par un « acte manqué » du type : je suis arrêté pour un banal contrôle d'identité et j'ai justement glissé bêtement mon « képa * » dans mon passeport. Les policiers apprécient beaucoup.

Sinon, c'est le quotidien qui se charge de tirer la sonnette d'alarme :

– carte bleue avalée par le distributeur;

– coupure de téléphone (beaucoup plus incitative que celle du gaz ou de l'électricité. Si on peut se shooter à la chandelle on ne peut pas s'approvisionner sans téléphone);

– les huissiers au réveil un matin de manque. Ou, aussi efficace, les flics, un vieux pote (dont on ne se rappelle plus si on a ou non partagé la seringue) frappé par le SIDA;

– échecs professionnels, scolaires, amoureux...;

– cambriolages, braquages, passages à tabac successifs par des amis d'amis...

N. B. **La mort d'un copain** par overdose n'est pas dissuasive mais le transforme en mythe, il rejoint au panthéon les stars du rock tombées sous la seringue.

La morale des parents, bien que leur fermeté doive demeurer un *devoir absolu*, est aussi sans effet. La seule aide qu'ils puissent apporter à ce moment précis est d'être totalement disponibles. Les privilégiés qui pourront mettre du temps, de l'attention et des moyens financiers à la disposition de leur enfant, auront plus de chance de le voir décrocher.

Comment décrocher vraiment ?

Aller à Marmottan, rendre visite à Olive (le docteur Olivenstein). Pour les Parisiens. C'est gratuit, discret. Il voit tellement de junks qu'il est difficile de le bluffer. Compétent et pas chiant. Pas d'endoctrinement ni de morale.

Aller au Trait-d'Union, voir Curtet, ancien assistant d'Olive, aujourd'hui dissident.

Consulter un médecin. Pour tout le monde. Inconvénient : c'est payant. L'équation du junky en manque, (médecin + médicaments = un paquet à 100 F) l'incitera le plus souvent à écarter cette solution.

Aller à l'hôpital. Service psy. Gratuit mais un peu flippant. En plus, ne délivre pas toujours de médicaments.

Voici les médicaments les plus efficaces et les plus couramment prescrits : *Antalvic* pour éviter la douleur du manque. *Tranxène* et *Rohypnol* pour éviter la déprime et l'insomnie.

Quant au vide psychologique, seul un médecin de

l'âme (psy, curé, petit(e) ami(e), grand gourou) pourra le combler.

Puis, **jeter sa pompe et partir.**

La fuite appelée « vacances » est en effet le meilleur remède. Il est très difficile de décrocher dans son squatt, son îlot Chalon, ou même dans le 16e arrondissement lorsqu'on a de l'argent, une voiture, des « amis »...

Seule la campagne profonde est salutaire. La Côte d'Azur, par exemple, est fortement déconseillée. Le voyage en Orient est tout aussi inefficace que celui aux USA et l'Amérique du Sud permet de troquer une toxicomanie contre une autre (voir la Coke). Le mieux est encore d'aller passer quinze jours en Islande, en Yougoslavie ou en Laponie.

Au retour :

– Brûler son carnet d'adresses (le junky se retrouve alors très seul : toutes ses relations étaient liées au trafic. Voir p. 171).

– Changer de numéro de téléphone pour éviter les relances. (Celles des consommateurs sont aussi redoutables que celles des dealers.)

– Encore mieux : changer d'adresse.

– Aller chez le dentiste : l'héroïne pourrit les dents à la vitesse grand V.

Pour décrocher vraiment, il faut un minimum de temps et de moyens. Il faut aussi quelques parents ou anciens amis qui accepteront cette fois encore de croire en la bonne volonté du junky. Reconstruire une volonté, une sociabilité voire une personnalité n'est pas chose facile. Il faut changer de vie, de monde, repartir presque à zéro. Plus on a commencé tôt, moins on a d'acquis antérieurs à la toxicomanie et plus la tâche est ardue.

Raccrocher

On se raccroche très facilement et très vite. Deux ou trois prises successives suffisent pour retrouver le top niveau de la dépendance exactement au point où on l'avait quitté. En effet, le corps n'a pas oublié sa longue servitude et tous les processus physiologiques de la dépendance se remettent automatiquement en marche, comme si on glissait à nouveau le même programme dans un ordinateur. L'ex-toxicomane devra donc rapidement prendre la même dose qu'avant, se raccrochera en deux jours. Physiquement, il en bavera autant pour décrocher que lors de sa pire dépendance, avec en prime la mauvaise conscience d'avoir en si peu de temps réduit à néant tous ses efforts. Son seul atout est qu'il connaît bien tous ces phénomènes et qu'il s'est déjà prouvé qu'il pouvait s'en sortir. A l'inverse, le danger est qu'il justifie sa faiblesse en invoquant la fatalité : jamais il ne s'en sortira, alors autant aller jusqu'au bout!

Sachant cela, le rôle des parents peut être d'aider à désamorcer cette conduite d'échec pour que leur enfant retrouve un peu de confiance en lui. A ce moment précis, il leur faut éviter d'adopter des positions extrêmes : le traiter comme quelqu'un qui n'a aucune volonté et à qui on ne peut faire confiance, en espérant qu'il réagira par orgueil; ou bien cautionner le raccrochage en disant que c'est normal, que ça arrive à tout le monde et qu'il réussira une prochaine fois (sans dire par exemple, que la prochaine fois ça doit être tout de suite). Toutefois, ils risquent de ne pas être entendus si c'est la première fois que leur enfant décroche.

Le premier raccrochage :

En règle générale, il suit automatiquement le premier décrochage. On se dit qu'on peut « en » reprendre sans danger, avec en plus un bon alibi, puisque justement on vient de décrocher. Ce sera comme la première fois, sauf qu'on ne commettra pas la bêtise de continuer, parce que maintenant on sait ce que c'est! Ce néophyte ne sait pas qu'il va se raccrocher en quarante-huit heures chrono. De plus, ce système de justification un peu simplet prouve qu'il est encore bien loin d'être sorti d'affaire. On voit ainsi que la rechute, loin d'être plus blâmable que la dépendance, est un passage quasi obligé pour décrocher **vraiment**.

En bref, c'est long

On n'oublie jamais. Quand on a été accro, c'est-à-dire consommateur régulier pendant trois ou quatre mois minimum, la dépendance est garantie à vie. Jamais le junky ne sera à l'abri d'une rechute, régulièrement il lui faudra combattre la tentation : si l'oubli est possible, il ne l'est jamais longtemps. L'héroïne, et toutes les drogues en général, ont envahi notre société. L'ex-junky la retrouvera partout sur son chemin : dans ses relations, les médias, les livres... Il est aisé de comprendre qu'il sera tout à la fois plus tenté qu'un autre et plus apte à tout mettre en œuvre pour résister. Il n'y a pas de pronostic absolu mais le scénario suivant constitue une moyenne qui reflète la réalité.

Arrêt d'un an minimum, sans rechutes graves pendant cette période (jamais deux jours de suite, cf. *supra*) : l'ex-junk est tiré d'affaire. S'il rechute, ce ne sera en général pas pour longtemps et il conservera assez d'assurance pour s'en sortir seul.

Arrêt de cinq ans : période minimale pour commencer à affirmer qu'on s'en est vraiment sorti.

Bref calcul

Quand on commence à toucher à la poudre, on met :

3 à 5 ans : accrochage + dépendance + premières rechutes

+

3 à 5 ans : décrochage + rechutes secondaires + mise à l'épreuve.

=

6 à 10 ans

Les cures

On ne peut dresser un tableau complet des compétences des centres. Certains internent les patients, d'autres préfèrent la méthode « ambulatoire ». Dans tous les cas, il faut savoir qu'une cure n'est utile que si le toxico exprime le désir de s'y rendre. Il n'est pas de notre propos de dresser un catalogue raisonné des centres de cures. Sachez seulement qu'il n'y a pas que l'hôpital Marmottan de Paris qui aide efficacement les toxicomanes qui veulent s'en sortir. Pour obtenir la liste des centres accueillant, en France, les toxicomanes, on pourra se référer au service minitel TOXITEL (36-15 code GP2) ou au répertoire du MILT (71, rue Saint-Dominique, 75007 Paris, tél. 16/1/45.55.63.20).

Ne traînez pas un shitman devant le docteur Olivenstein : tous deux vous riraient au nez. D'ailleurs cinq minutes passées dans la salle d'attente suffiraient à vous convaincre de votre impudeur. Vous aurez le même sentiment qu'un égratigné venant aux urgences par crainte du tétanos qui croiserait un grand brûlé ou des accidentés de la route.

Attention au barbu

Il est toutefois une erreur à éviter : s'adresser au Patriarche.

Une curieuse querelle s'est élevée autour du grand Ayatolah de la défonce, Lucien Engelmajer alias « Le Patriarche ». Ce barbu au surnom de catcheur est pour les uns un frère jumeau du grand Moon déguisé en Georges Ibrahim Abdallah, pour les autres un inoffensif père Noël doté de la sage poigne de son collègue le père Fouettard. Difficile de trancher. Voici les faits :

1er acte : Laurent Fabius, alors Premier ministre, commande une enquête sur le Patriarche à la suite de plusieurs faits divers et plaintes troublantes. Le rapport porte le nom de son rapporteur, M. Consigny. C'est un document parfaitement objectif et relativement tempéré. Il touche cependant du doigt plusieurs problèmes assez graves.

1. L'association dirigée par Lucien Engelmajer, du type loi de 1901, donc en principe ne réalisant pas de bénéfice est à la tête d'un copieux patrimoine :

« En février 1985, dit le rapport Consigny, et selon ses déclarations, l'Association est donc propriétaire de quelque 17 centres dont 1 acquis à la suite d'une donation et 16 acquis pour une valeur globale non actualisée de 9 541 248 F. » Certes, pour soigner les toxicomanes il faut des moyens, des locaux aussi; nous ne le contestons pas. Mais faut-il absolument dégager un *excédent financier* évalué pour 1984 à 10 000 000 F?

2. On peut faire de l'argent avec l'argent de l'État (la DASS) mais on n'est pas forcé de maltraiter les patients qu'il vous a confiés. La négligence sanitaire, les voies de faits constatées sur des pensionnaires réticents sont très parlantes : « gifles, coups de poing, manchettes, coups frappés avec des objets divers, ceinturons, voire armes plus sophistiquées telles que le nun-chaku. Un pensionnaire mentionne un incident où un encadrant a brandi un couteau. Plusieurs fois revient l'accusation selon laquelle tout fugueur repris par les patrouilles du Patriarche subit au retour un passage à tabac systématique. »

3. Le rapport s'interroge en outre sur le « phénomène secte » que pourrait présenter « Le Patriarche ».

« La question du suicide demeure délicate. Lucien Engelmajer a brandi la menace d'un geste collectif, lors d'un conflit avec l'administration. Étant donné l'état de délabrement et de dépendance psychologique de certains pensionnaires, les réactions passionnelles et excessives de Lucien, ce dernier n'est-il pas capable d'entraîner ses troupes dans un drame analogue à celui de Guyana (...)? »

2e acte : 16 mars 1986. Changement de majorité. M. Consigny demeure conseiller du garde des Sceaux, dont il a toujours été proche. Dans ses valises, l'administration socialiste emporte son rapport et le communique à certains journalistes. Étant donné la gravité des faits soulignés par Consigny lui-même, la presse ne manque pas de dénoncer l'activité du Patriarche.

3ᵉ acte : M. Consigny s'insurge contre toute « interprétation » polémique de son rapport. Albin Chalandon, *a priori* favorable au Patriarche, dénonce lui aussi la « cabale » (discours du 23 septembre 1986). La chancellerie décide de reconduire un nouveau protocole d'accord avec l'Association.

Aux dernières nouvelles : M. Consigny, malgré toute sa bonne volonté ne parviendrait pas à s'entendre avec Lucien poil au chien qui aurait, vis-à-vis de ce protocole, des exigences exorbitantes.

Nous ignorons pour l'instant quelles sont les raisons profondes du curieux comportement des pouvoirs publics. Il est toutefois une évidence sans appel : les présomptions qui pèsent sur les activités du « Patriarche » sont graves et, en attendant la suspension d'une telle association, il serait criminel de lui confier vos enfants. Pourtant, au départ, l'idée de Lucien Engelmajer semblait bonne : confier aux toxicomanes des responsabilités pour restaurer leur volonté. Le problème est que celles-ci sont encore et toujours basées sur la drogue, ou plutôt, sur son fantôme omniprésent. Passer du rôle de toxicomane à celui de thérapeute pour toxicomane n'a jamais été une solution. On ne fait que reconduire les rapports sadomasochistes qu'ils ont connus dans la défonce.

Zéro

L'héroïne bouleverse de fond en comble la vie de celui qui en devient dépendant. Mais puisqu'à ce stade elle est sa seconde nature, que la défonce est son état normal, le toxico ne pourra plus agir ni penser sans elle.

Garde-t-on toute sa raison ?

Oui, en ce qui concerne les capacités logiques. A l'inverse du shit, l'héroïne ne les perturbe pas. Mais, rapidement, les neuf dixièmes des pensées du junky vont tourner exclusivement autour de la poudre. Presque toutes ses capacités intellectuelles s'épuiseront à élaborer les stratagèmes qui lui permettront de s'en procurer. Le dixième restant ne lui permettra pas de pousser très loin ses investigations : aucun progrès intellectuel n'est possible.

Peut-on travailler ?

Oui, comme on peut travailler sous tranquillisants : sans grande efficacité et sans initiative. Ceux qui accomplissent des tâches mécaniques sont plus favorisés. Toutefois, il y a des héroïnomanes partout : de l'agriculture (!) à l'informatique en passant par l'administration et la pub. Le temps est loin où l'héroïne était l'apanage du seul show biz. Mis à part certains groupes sociaux très favorisés, la seule promotion possible par l'héroïne est le chômage.

Peut-on créer ?

Non, s'il est vrai que la création a à voir avec les sentiments, l'affectivité, l'anesthésie et le contentement que produit l'héroïne empêchent toute création véritable. Hegel dit que dans l'histoire des peuples, les pages de bonheur sont des pages blanches. Ainsi en est-il, *mutatis mutandis,* de la vie du junky accro. Ces mois, ces années de dépendance lui paraîtront *a posteriori* constituer une parenthèse vide de sens, d'images et de souvenirs.

Quels enseignements tire-t-on de cette expérience?

Le junky aura fréquenté des dizaines de gens plus ou moins intéressants, mais il n'aura jamais rencontré personne. « Pour avoir un avenir, il faut avoir un passé », disent les Japonais : l'enfant qui naît en a infiniment plus, à travers ses parents, que le junk qui ne vit qu'au présent. S'il a une heure devant lui, il va se défoncer sans penser à ce qu'il fera dans une heure et cinq minutes. Pendant ce temps, il n'aura rien vu ni senti, rien entendu qui ait pu le marquer. Il n'aura vécu que la répétition à l'infini du même plaisir, de la même anesthésie. C'est en ce sens que l'héroïne fait perdre la mémoire. Le seul passé qui demeure est celui, négatif, de la douleur et du manque, celui aussi, magnifié, d'avant la dépendance. Chaque paquet aura fait taire le monde extérieur, son influence, comme l'envie d'y participer. Au bout du compte, « l'algèbre du besoin » finit toujours par se résoudre. Mais comme une équation qui tombe juste, égale zéro.

Les héroïnomanes

L'héroïne est la seule drogue à engendrer une sociabilité particulière. Autour de la substance, de sa recherche et de sa consommation, se cristallisent des rites et une hiérarchisation très sensible des rôles. A drogues dures, sociabilité dure, avons-nous dit (voir Drogues douces et drogues dures, p. 83). Contrairement aux autres drogues, celle-ci exclut d'emblée de son circuit toute personne qui n'en prend pas. On a vu (p. 147) que l'effet « centrifuge » de l'héroïne coupait son utilisateur de l'extérieur, l'incitant au repli sur soi. Ces sensations déteignent beaucoup sur la sociabilité : égoïsme, exclusion des non consommateurs... L'apparente harmonie qui règne entre junkies aux yeux du néophyte disparaît bien vite. La poudre, c'est le règne du « chacun pour soi et tous dans la merde ».

A son apparition dans les années 70, l'héroïne était consommée par des personnes d'extraction aisée (à cause de son prix). C'était une pratique culturelle qui jouissait d'un certain prestige. Aujourd'hui la situation est inversée. Devenue un produit de grande consommation au début des années 80, cette ancienne homogénéité sociale s'est dissoute. La substance cristallise désormais autour d'elle des gens venus de tous les horizons sociaux. De même, le marché de la revente n'est plus dominé par des réseaux « culturels » ou conviviaux mais par les plus puissants.

Au milieu des années 70, un fait traduisit clairement ce changement : les braquages * de dealers. Symbole d'une nouvelle donne où des réseaux de distribution forts et institutionnels prirent la place des réseaux spontanés, construits à la fortune des relations de fac, à la faveur d'un ami qui revenait d'Asie... De conviviales, les pratiques se sont pliées aux strictes règles du marché. Égoïsme et réalisme commercial doublés de clandestinité n'incitent guère aux bons sentiments. Dans le meilleur des cas, le junky dans la « mouise » aura droit à une vague compassion affectée. En fait, tout et n'importe quoi peut avoir ici une valeur marchande. Tout est sujet à négoce dès que cela peut servir à la transaction. C'est en fonction de ces services variés que s'opère une hiérarchie sociale forte autour d'un plan, d'une filière quelconque pour se procurer de la poudre.

Le plan dope

On désigne ainsi l'organisation (planification) de la distribution d'une drogue. Par métonymie, le terme désigne la drogue elle-même. On dit « faire un plan » pour « mettre en œuvre les relais » nécessaires à l'approvisionnement. On dit aussi « attendre après un plan » pour « attendre son paquet d'héroïne ».

Le plan constitue en quelque sorte la plus petite unité de distribution de l'héroïne. Il reproduit le même schéma pyramidal que les filières mafieuses internationales. Au sommet de cette pyramide trône le dealer (voir p. 187). Le dealer ne vendra jamais à quelqu'un qu'il ne connaît pas. Tout consommateur néophyte ou occasionnel doit donc passer par des intermédiaires pour se fournir. Ces derniers sont plus ou moins nombreux selon les plans. Du fait des intermédiaires, la distribution de l'héroïne est soumise à une véritable fiscalité médiévale. Chaque intermédiaire prélève au passage sa dîme en nature. On dit qu'il « taxe * ». Pour plus de commodité nous l'appellerons « taxman * ». La somme d'argent injectée dans un plan provient du « pigeon » de base (le consommateur-payeur) et profite à toute la filière. Si cette activité est économique, elle ne crée pourtant aucune valeur mais ne fait que redistribuer la « richesse » d'origine. C'est cette redistribution qui permet aux intermédiaires de consommer, même si leurs moyens financiers sont limités. Du leader au payeur, un képa * peut avoir réduit d'un bon quart en volume et de moitié en substance active.

Les planificateurs

Dans l'ordre hiérarchique :

Le taxman numéro 1

Intermédiaire essentiel. C'est lui qui possède le contact avec le dealer, c'est lui qui fait « l'affaire ». Impossible d'accéder à la poudre sans ses bons offices. Objectivement (selon les critères de la police) c'est aussi un dealer. Mais en fait, il ne dispose d'aucun stock d'héroïne. Il n'a pas non plus de liquidités. On lui confie l'argent et il achète la quantité de poudre correspondante sans oublier d'y prélever sa part.

Le taxman numéro 2

Sa fonction est plus parasitaire. Il ne connaît que le taxman numéro 1. Pourtant, il sait se rendre indispensable et il est très rare qu'il soit absent. Souvent, sa ponction sur la transaction se limite à un shoot qu'il monnaie en échange de divers services. Tels que :

– prêter sa pompe*,

– brancher un client : il ne connaît pas directement le dealer, mais des acheteurs (qu'au besoin il pousse à la consommation), et peut ainsi mettre de l'argent dans le circuit. En général, il s'arrangera pour verrouiller son contact avec le taxman numéro 1 afin de recommencer l'opération,

– prêter sa salle de bains, son appartement, surtout s'il est bien situé (quartier chaud ou centre ville). Les usagers apprécieront la qualité du service : c'est plus agréable que d'aller se shooter dans les chiottes d'un bar,

– servir de chauffeur au taxman numéro 1 (ou, ce qui revient au même, avoir de quoi payer un taxi). Les transactions s'effectuent à toute heure du jour et de la nuit et il faut parfois se déplacer loin, dans des quartiers périphériques ou même en banlieue. Une voiture est toujours la bienvenue, elle limite la galère (voir la Galère, p. 179),

– posséder une carte bleue. Les dealers, comme les prostituées et les patrons de bistrot « hard » n'acceptent pas les chèques. Il faut pouvoir trouver du liquide à tout moment, y compris à trois heures moins le quart du matin.

Les consommateurs occasionnels, les personnalités publiques, sont aussi obligés d'utiliser les services des taxmen. Soit qu'ils n'en prennent pas assez souvent pour être dans le circuit, soit qu'ils ne puissent pas se le permettre du fait de leur situation sociale en vue.

Le pigeon

C'est un consommateur nouvellement entré dans le circuit, le plus souvent un junky de fraîche date. Il est encore naïf, facile à arnaquer, et surtout il ne possède aucun moyen de se brancher avec un dealer. Donc, ne pouvant être taxman lui-même, il a recours à leurs services : c'est lui qui paie pour tout le monde. Entre également dans cette catégorie le provincial qui fait l'aller et retour dans la soirée. A Rennes, Lille, Dijon, Lyon ou Moulins, tout le monde compte sur lui. Il a réuni l'argent de la commande et est « monté » à Paris pour acheter. Dans la capitale, il n'a qu'un statut de client. C'est-à-dire qu'il a le droit de la fermer : attendre toute la nuit après un plan, se voir refiler une qualité douteuse, se faire arnaquer sur la quantité... Il doit encaisser sans broncher. S'il râle, il se fait jeter. Mais une fois rentré dans sa province, il redevient le roi. C'est lui désormais le dealer, tout lui est permis. Peut-être se vengera-t-il des brimades parisiennes, en abusant du pouvoir que lui confère la poudre sur les autres junkies en manque.

Promotion interne : le plan tombe

Cette hiérarchisation des rôles dans un plan est assez mouvante. On a vu qu'un consommateur pouvait se retrouver au sommet d'une autre chaîne de consommateurs, d'un autre plan. Non seulement ces réseaux de consommateurs s'imbriquent les uns dans les autres mais, à l'intérieur d'un même réseau les rôles sont interchangeables. Il suffit que le dealer tombe (se fasse arrêter par la police) et le « taxeur » peut devenir « taxé ». Comment cela se passe-t-il ?

Un junky averti possède au moins trois plans :

– un plan quotidien. Le dealer n'est pas trop chien, il peut fournir tous les jours (ce qui n'est pas toujours évident), ce qu'il vend est correct,

– un plan de secours. Plus loin, plus compliqué que le premier mais acceptable,

– un plan « dernière chance ». Un squatt archi-connu, une rue « à poudre » où il achète au dealer de garde un minuscule paquet d'aspirine un peu opiacée.

La clé de la promotion est la « chute » du plan

Après une courte période d'émoi et d'inquiétude (est-ce que le dealer, en tombant, ne nous a pas balancés ? Les flics ont-ils mis le nez dans le carnet où il avait recopié toutes nos adresses ?), les affaires reprennent. Le « plan de secours » devenu « plan quotidien » s'améliore grâce à l'afflux d'argent frais et aux plaintes redoublées des consommateurs mécontents. Ce changement de source d'approvisionnement modifie la hiérarchie de la filière. Par exemple :

– le taxman numéro 1 peut rétrograder (son plan quotidien est tombé) et devenir numéro 2, tandis que numéro 2 qui a fourni son plan de secours se retrouve principal contact (numéro 1);

– le cochon de payeur, s'il est suffisamment accro pour devenir un consommateur assidu, pourra lui aussi profiter de la promotion interne. C'est presque obligatoire : même s'il possède des revenus très confortables, il n'aura pas les moyens de se fournir uniquement en payant. Il y a pour lui plusieurs moyens de monter dans la hiérarchie : posséder une voiture, une carte de crédit, un appart central... Bref les attributs du taxman numéro 2 (voir supra). Il supprime ainsi un intermédiaire. C'est toujours un shoot de gagné.

Le bon plan

Ensuite, après plusieurs transactions, le consommateur-payeur (fraîchement promu taxman numéro 2) peut se lier d'amitié avec le taxman numéro 1 et parvenir un jour au sanctuaire, gorge nouée et larme à l'œil : l'appart du dealer.

Ici le nouveau venu redevient moins qu'une merde. L'accueil du dealer est épouvantable. Parano, il ne s'en prendra pas à l'inconnu, mais celui-ci comprendra facilement ce qu'on pense de lui à travers les quelques remarques faites au tax-man-numéro-1-son-ami :

« T'es con ou quoi ? D'où tu le sors ? Qu'est-ce qu'on va foutre avec ÇA ? »

Les choses s'arrangent lorsque le payeur sort ses billets et ne fait pas d'histoires, compatit, comprend la parano du dealer.

Pour nouer des liens plus solides, après une ou deux visites, il fait semblant d'avoir du répondant ou un réseau clients : « Eh dis donc là, les dix grammes, tu les ferais à combien ? Là ? » Le dealer ébahi ne se le fera pas répéter deux fois (bien qu'on lui ait déjà fait le coup). Enfin l'ex-consommateur est dans le circuit. Mais il faut maintenant qu'il trouve des clients (comme lui hier encore) pour écouler ailleurs que dans ses veines les 10 g qu'il a sur les bras. Sous peine de graves ennuis financiers. C'est ainsi qu'objectivement (selon les critères de la police) on devient dealer.

NB. C'est le cas de *TOUS LES CONSOMMATEURS* réguliers (au-delà de 2 shoots par jour).

Quelques erreurs peuvent être fatales à ce nouveau venu :

– manque de psychologie avec la femme du dealer. La plaindre quand elle est battue, par exemple, ou pire, lui amener des fleurs, des bonbons, des chocolats comme à toute bonne maîtresse de maison. En règle générale, mieux vaut éviter toute marque incongrue de civilité. Exemple : on ne serre pas la main des gens qui sont chez le dealer, on adopte plutôt la technique « boîte de nuit » qui consiste à les rendre transparents ;

– ne jamais avouer que l'on est un néophyte. La

marchandise en circulation est déjà suffisamment mauvaise.

On le voit, ce n'est pas en volant le numéro de téléphone du dealer dans le carnet d'adresses du taxman que le consommateur pourra monter son propre plan. Mais dans la pratique, les relations évoluent assez rapidement : l'amitié chez les junkies progresse selon une forte courbe exponentielle dont les constantes sont : la quantité consommée et la galère.

La galère

« *A tous les niveaux, l'industrie de la drogue fonctionne sans horaire. Nul ne fait ce qui est convenu à l'heure convenue, ou bien c'est un hasard, un accident. Le camé marche à l'heure de la came. Son corps est un chronomètre, et la came court en lui comme la poudre blanche dans un sablier. Le Temps n'existe pour lui que par rapport au besoin qu'il a de came. Il fait alors irruption dans le Temps d'autrui et, comme tous les Étrangers, comme tous les Quémandeurs, il est condamné à attendre.* »

WILLIAM BURROUGHS, *op. cit.*

La galère *, au sens large du terme, désigne une entreprise périlleuse et compliquée, finalement couronnée par un résultat médiocre ou nul. On dit alors qu'on a beaucoup « ramé ». Dans le vocabulaire du drogué la galère est un plan foireux, loin, cher, et de qualité médiocre ou nulle.

En fait, sauf miracle ou gros compte en banque, quand on est accro à la poudre, c'est tous les jours la galère. On comprend alors pourquoi il est difficile d'émerger du baril * quand on a la tête plongée dedans. Nous avons reconstitué pour vous l'emploi du temps type et obligatoire du junky. Malgré des heures entières passées à ne rien faire, pas une minute de libre pour aller pointer à l'ANPE.

Les trois huit

JEU TEST : *Essayez de comprendre la séquence suivante sans consulter le glossaire ni la leçon. Si vous n'y parvenez pas, ne désespérez pas. Révisez.*

---

15 heures

Réveil du mort vivant. Après dix minutes d'agonie, Paul se rue dans la salle de bains. Il découvre un képa ouvert et VIDE... Il gratte quand même le papier pour la forme. Il se souvient amèrement s'être envoyé hier soir le shoot qu'il s'était promis de garder pour ce matin. Ça va très mal.

15 h 20

Paul appelle tous ses contacts sûrs pour se fournir. Personne. Il se souvient alors que Claude (qui en a toujours) lui a dit qu'il passerait chez lui.

15 h 22

Paul téléphone à Claude pour lui rappeler le RDV et s'assurer qu'il en a : personne. Ça va si mal que Paul préfère se dire que ce CON de Claude doit être en route.

15 h 30

Comme deux précautions valent mieux qu'une, Paul a bissé tous ses coups de fil de 15 h 20. Il est tombé sur la femme de son dealer qui lui suggère mollement de rappeler à 18 heures.

15 h 40

Paul vient de s'habiller. Il fait le bilan devant la glace : son nez coule, il a trois boutons de plus qu'hier, mal partout et envie de ne rien faire (sauf un shoot).

15 h 45

Paul descend s'acheter des Néocodions * à la pharmacie plus un flacon d'Humex-Fournier * pour patienter. Il n'oublie pas le plus important : laisser un mot sur la porte suppliant Claude de l'attendre cinq minutes.

15 h 55

C'est dimanche. La pharmacie n'était pas de garde. Paul se demande s'il est possible d'aller plus mal encore. Le petit mot a disparu mais la porte est enfoncée. La TV a disparu ainsi que sa réserve de « pompes » neuves qui était planquée dans la salle de bains. Paul est trop en manque pour s'interroger sur l'identité du « client » mécontent. (Le braquage est une forme de convivialité fort répandue entre consommateurs.)

16 h 15

Toujours pas de Claude. Arrivée inattendue de Carole fraîchement descendue du TGV. Elle veut « en » acheter, mais ne dispose que d'un gros chèque signé par son mari.

16 h 30

Arrivée d'un pote avec une plaquette de Néocodion salvatrice. Paul avait oublié qu'il l'avait contacté à 15 h 20.

16 h 31

Pendant que Carole raconte sa vie et essaie d'appeler un vieux beau de ses connaissances transi d'amour depuis dix ans pour qu'il aille lui chercher du liquide au distribanque en échange du chèque, Paul s'enfile discrètement la plaquette de Néocodion. Ni vu ni connu, croit-il. Le propriétaire a remarqué la manœuvre mais il la ferme (ça sent le plan, il y aura certainement un petit shoot pour lui).

16 h 45

Carole va chercher son liquide. Elle promet d'être de retour dans une heure.

16 h 46 à 17 h 45

59 minutes pour rien.

17 h 45

Coup de fil de Claude. Il est à Barbès. SACRÉ VIEUX Claude pense Paul presque au bord des larmes. Il a un plan tout prêt. C'est l'affaire de cinq minutes MAIS il FAUT lui amener du liquide. VITE.

17 h 50

Claude rappelle, furieux. Carole n'est toujours pas là. Paul, désolé, ne sait pas comment joindre cette SALOPE ! Claude fébrile menace de faire le plan « RIEN QUE POUR MOI ». Paul ne s'en fait pas trop, il sait que Claude n'a pas un rond (sinon ce VIEUX FUMIER n'aurait jamais téléphoné).

18 heures

Paul qui ne perd pas le nord et continue à penser que deux précautions valent mieux qu'une, rappelle comme convenu son dealer.

« Ah ben, Paul, je savais pas que t'en voulais. C'est con, tu vois là j'en ai juste pour moi, là. » Devant le désespoir que trahit la voix de Paul, le dealer lui dit que ça va s'arranger, peut-être, et lui conseille de rappeler dans une heure, à peu près.

18 h 20

Retour de Carole, Paul est trop mal pour trouver la force de l'engueuler.

18 h 35

Claude rappelle. Paul lui dit qu'il arrive puisque « le plan est sûr ». Il fait répéter Claude en guise de garantie. « Sûr, c'est sûr ».

19 heures

Paul, hors d'haleine, rejoint Claude dans un strobi de Barbès. Claude part avec l'argent. Paul commande un café et constate avec satisfaction que dans ce bistrot les petites cuillères ne sont pas poinçonnées. C'est la première bonne nouvelle de la journée.

19 h 01
19 h 02
19 h 03
19 h 04
19 h 05
19 h 06
19 h 07
19 h 08
19 h 10

19 h 11

Retour de Claude. Il a craqué la moitié des thunes, ramène trois képas ridicules et des petites pupilles. Paul lui fait remarquer qu'il est complètement défoncé. Claude prétend que c'est parce qu'il a mal dormi... Paul n'écoute pas ses explications, il est déjà dans les chiottes du café en train de se faire un fix.

19 h 12

Paul sent vaguement quelque chose.

19 h 13

Paul entame le paquet de Carole.

19 h 15

Paul ne sent toujours rien mais il n'est plus malade.

19 h 16

Paul cherche une cabine à pièces pour appeler son dealer. Il tombe sur sa femme : le dealer est reparti. Elle ne sait pas s'il y en aura pour lui. « T'avais qu'à rappeler à Sept Heures. »

19 h 18

Paul charge Claude d'aller chez lui pour prévenir Carole et Néocodionman qu'il arrive tout de suite.

20 heures

Comme il n'avait plus assez de fric pour acheter 1 g, Paul est passé chez une vieille copine, consommatrice occasionnelle. Elle est OK « vu que ce soir c'est dimanche et que c'est toujours la zone ce soir-là ». Elle lui donne l'argent, Paul lui donne RDV chez lui vers 21 heures.

20 h 30

Arrivée de Paul chez le dealer. Il n'est toujours pas rentré. Sa femme est effondrée devant la TV. Elle est défoncée à mort. Paul en est très agacé, il l'insulte tout bas.

23 h 30

Au moment où la speakerine présente le programme du lendemain : arrivée du dealer. Très surpris de trouver Paul chez lui (je t'avais dit Sept Heures bordel!). Tandis que Paul se retient pour ne pas pleurer, le dealer fonce dans la salle de bains et s'enferme.

23 h 33

Le dealer passe la tête dans l'entrebâillement de la porte et appelle sa meuf qui depuis trois minutes tambourine en répétant : « putain, mais merdeuuuuu! »

23 h 40

Paul, aussi inquiet pour son shoot que pour la santé de son dealer, demande à travers la porte si : « Ça va ? »

23 h 42

La fille sort en se grattant de la salle de bains et parvient à articuler un glauque « mouais, ça va »; puis glisse sous la porte à destination de son dealer de mari une feuille de papier quadrillé et un cutter.

23 h 45

Voix du dealer à travers la porte : « combien tu voulais déjà ? » Paul répond 1 g et entend le cri du comprimé d'aspirine écrasé le soir au fond du képa. Paul timidement dit : « pas trop, pas trop ».

0 heure

Paul touche son képa. Le dealer refuse qu'il se shoote dans sa salle de bains. (Il peut mais alors c'est la dernière fois qu'il vient.) Paul a choisi : il se fait un rail + un képa spécial taxman.

0 h 20

Dans la rue. Paul téléphone chez lui pour qu'on vienne le chercher en taxi car il n'a plus un rond.

0 h 50

Arrivée du taxi. A l'intérieur, Carole, furieuse et l'Occasionnelle (mais si, rappelez-vous), aussi.

1 h 10

Chez lui, Paul fonce dans la salle de bains et se fait un shoot sur le paquet commun puis le donne à qui de droit : les payeuses. Néocodionman (mais si, rappelez-vous) en voudrait bien aussi. Claude se réveille et demande si ça va. Il réclame sa part, prétextant qu'il a mis de l'argent. Dans l'émoi général son mensonge passe inaperçu.

1 h 20

Tout le monde est défoncé : l'Occasionnelle se gratte, Néocodionman monopolise les chiottes, Claude demande si ça va. Carole est un peu emmerdée parce qu'elle avait promis d'en ramener à son mari. Paul dit que c'est pas le moment de faire chier.

1 h 30

File d'attente à l'entrée des toilettes.

1 h 40

Tout le monde est écroulé dans le salon. Paul se demande qui a eu l'idée de mettre le disque de ce vieux junk de Lou Reed. Claude demande toujours si ça va.

2 heures

Paul n'est déjà plus défoncé. Il part se faire son paquet de taxman dans la salledeub tout en faisant couler la douche pour déjouer les soupçons.

N. B. C'est le fameux paquet que Paul avait prévu de garder pour le lendemain matin, comme hier, comme demain...

3 h 30

Les « invités » s'en vont, sauf Claude qui s'est endormi dans un coin et que tout le monde a oublié. Son dernier « ça va » remonte à 2 h 24.

3 h 35

Paul se couche.

6 h 00

Paul s'endort après s'être interrogé pendant des heures sur la nature exacte du produit de coupe. Dinintel * ou caféine * ?

15 heures

Réveil du mort vivant. Après dix minutes d'agonie, Paul se rue dans la salle de bains, etc.

Le dealer

Difficile de le distinguer à première vue du consommateur moyen puisque tout consommateur est un dealer en puissance. Par convention, on appellera « dealer » tout commerçant dont le trafic répond aux critères financiers suivants :

– il vend au moins 5 grammes par jour à 1 000 F/g environ

– il les a achetés 700 F/g environ (prix de gros)

– ce qui lui rapporte :

– 1 gramme pour sa consommation personnelle

– 800 F net par jour.

A 24 000 F par mois net d'impôts, on pourrait croire que ce dealer est un homme (et c'est souvent un homme) opulent. En réalité, il n'exerce ce commerce que pour s'alimenter en dope *. C'est pourquoi il va toujours préférer consommer plutôt que de dégager un bénéfice fiduciaire. Et ce, jusqu'à l'extrême limite : huissier, menaces d'expulsion... De plus, il est à la merci d'un approvisionnement de mauvaise qualité, d'une livraison impayée qui vont perturber son commerce et réduire son profit...

Il vend de la blanche ou du brown. Même s'il n'a que deux ou trois clients, ce commerce suffit à occuper intégralement ses journées. Le dealer n'est pas dispensé de galère (voir supra). Galérer, c'est son « métier ».

Toujours la même règle : plus le dealer est gros, moins on va chez lui facilement. Il donne alors rendez-vous dans une rue proche de son domicile.

Ce dealer-là n'a pas à être ponctuel, contrairement au pusher de rue (voir p. 198). Il sait que le junky en manque l'attendra toute la nuit s'il le faut. En revanche, étant lui-même consommateur, il est assez compréhensif.

N. B. Il faut distinguer ce dealer du vrai grossiste dont le cas relève de la grande criminalité. Le Grand Méchant Loup en Ferrari et fourrure qui corrompt les enfants à la sortie des lycées est un mythe issu de l'imagination de mauvais scénaristes. Les grossistes ne sont en contact qu'avec des semi-grossistes. Si la drogue entre à l'école c'est par l'autre bout de la chaîne, par les micro-circuits de distribution que créent les consommateurs (c'est-à-dire « Les Plans », voir p. 173). Les lycéens sont bien assez grands pour s'intoxiquer tout seuls.

L'appartement du dealer

A première vue le dealer est un personnage insondable et secret. A trente ans par exemple, la poudre l'a entraîné dans tant de situations invraisemblables, il a tant de voyages en Asie derrière lui qu'il semble impossible de le cerner.

Si on est admis chez lui, un examen détaillé de son intérieur peut malgré tout permettre d'en savoir davantage. On y trouve :

1) les nombreux reliquats d'une activité passée interrompue par son plongeon dans le baril*. Au hasard :

– la maquette inachevée d'une thèse d'architecture,

– quelques toiles poussiéreuses et tout aussi inachevées,

– des fossiles archéologiques,

– des instruments de musique dont il joue très rarement car il y a toujours un léger défaut non réparé qui les empêche de fonctionner vraiment. Au fond, c'est mieux ainsi, ça permet d'éviter tout conflit avec le voisinage et préserve sa discrétion,

– des reliques de voyage : Inde, Pakistan, Thaïlande, Moyen-Orient surtout,

– une bibliothèque complète sur le Yi King ou la psychologie chinoise...

– plus rare : une édition complète et annotée de *L'Esthétique* de Hegel ou la dernière édition du *Code civil*. Plus rare encore, le dernier livre de recettes de Paul Bocuse ou Gaston Lenôtre...

Ces reliquats continuent à servir de couverture et de raison sociale au dealer. C'est également sa grande espérance post-junky : dès qu'il décroche, il s'y remet.

2) *les traces de bonne volonté* qui témoignent des activités de reconversion :

– documentation abondante sur certains services qui pourraient lui rapporter gros sans trop se fatiguer : messagerie Minitel, téléphone rose...

– les tarifs des chaussures anglaises à Jersey. Profitant de son expérience de petit commerçant, il compte les passer lui-même à la douane et les revendre en France au prix fort,

– soigneusement empaquetée mais jamais expédiée, une maquette de son prochain (et premier) quarante-cinq tours à succès et à destination de M. Eddie Barclay, Saint-Tropez, qu'il connaît « TRÈS bien ». Déjà tout petit il passait ses vacances chez lui.

3) *les traces de son activité quotidienne.* Plus envahissantes, elles constituent le bordel incompressible dans lequel il opère :

– les balances (une à fléau et une « américaine » de poche)

– les vieux cotons qu'on peut réutiliser en cas de manque. Quand on s'injecte le peu de substance qu'ils contiennent encore on dit qu'on « se fait les cotons * »,

– les seringues bouchées, tordues, cassées...

– les aiguilles. En cas de moquette, ne pas se déchausser,

– les ceintures nouées dans le vide (Ohé! Ohé! garrots abandonnés).

4) *les preuves de son grand cœur.* Le dealer qui maltraite son corps adore la nature et les animaux. Cette passion comme toutes les autres est intermittente, d'où :

– les plantes vertes en perdition,

– les poissons rouges en eau saumâtre,

– les caisses du chat remplies à ras bord, parce que les dealers n'aiment pas beaucoup les chiens. Il faut les sortir trop souvent,

– sa femme à qui il a offert une télévision.

Le tout dans un bordel innommable. Son activité décousue se traduit par un désordre impressionnant. Quand l'évier se vide la baignoire se remplit. C'est fâcheux, surtout à cause des BD et des super fringues pas repassées qui s'y entassent. Un bon dealer vit beaucoup dans sa salle de bains (voir Galère p. 179). Ailleurs, on trouve des revues, des journaux ouverts et abandonnés.

Pourtant, le dealer n'avoue que rarement son inaction. Il est toujours « bien branché avec... » (Ici suit le nom d'une célébrité de la mode, du cinéma, du nightclubing. Bref, toutes les personnalités publiques sauf les hommes politiques.)

La femme de sa vie

Elle est le parasite d'honneur. Son teint pâle et son visage squelettique sont avantageusement rehaussés d'un maquillage et d'une tenue noire.

C'est elle qui reçoit les clients lorsque son mari est parti s'approvisionner (voir p. 184). Généralement défoncée, elle a le don d'agacer le visiteur en manque en se peignant longuement les ongles des orteils au vernis. Si par hasard elle ne l'est pas, elle compatira et sera la première à se plaindre du retard. C'est le cas d'extrême intimité que l'on peut espérer partager avec elle. Ce n'est qu'après un mois de visites assidues qu'elle consent à adresser la parole aux clients de son « mari ». Elle sort peu, est toujours entre deux shampooings mais jamais entre deux hommes. Les femmes de dealer sont toujours très fidèles. La poudre crée des liens. Inutile de compliquer les transactions en nourrissant de vagues espoirs érotiques. Toujours la cigarette au bec et la cendre dans le décolleté, elle semble à la merci de son dealer de mec. MAIS, elle a généralement beaucoup plus de volonté que lui pour s'en sortir comme pour s'enfoncer. C'est pourquoi elle est toujours beaucoup plus dure en affaires.

Interview d'un dealer

Comment en es-tu venu à la poudre?

J'avais rencontré un type qui en prenait. En vieux junk, il ne voulait pas que j'en prenne aussi. Mais comme tout le monde, il lui fallait du fric tous les jours. Une fois il est passé à la maison et il m'a dit : « Je pars à Dam (Amsterdam) acheter une once (28 g), est-ce que tu veux venir avec moi ? » C'était l'époque où les Chinois vendaient l'once à 30 F, il y a longtemps! Et voilà, je me suis retrouvé avec 14 g sur les bras. Si encore ce con m'avait arnaqué, ça m'aurait peut-être dégoûté. Mais là, j'en ai pris pendant deux mois, seul, tous les jours. C'était paradisiaque. Quand j'ai voulu m'arrêter, j'ai été malade comme un chien. Alors je suis plus ou moins entré dans le circuit. Il n'y avait aucun obstacle : ni maladie, ni trafic. C'était dans les années 70. J'ai commencé à voyager en Asie...

A l'époque où tu dealais, tu vendais quoi?

De tout. J'ai dealé de la morphine, de l'opium. De la coke aussi. Ça c'était vraiment dangereux : une erreur du dealer peut tuer quelqu'un. Si tu en as, que tu refuses d'en vendre à un type, il est capable de défoncer ta porte, de te menacer d'un couteau ou d'essayer d'entrer par la fenêtre au risque de se foutre en l'air. Et puis, bien sûr, j'ai vendu de la poudre.

C'était ton métier en somme?

En quelque sorte. Enfin, ça l'est devenu avec le temps. Si tu deales ne serait-ce que 5 grammes par jour, ça t'occupe toute la journée. Même si tu n'as que deux clients.

Comment ça se passait avec tes clients?

Moi, j'étais aussi toxico, donc je faisais attention d'éviter certaines erreurs. J'essayais de ne pas créer trop de jalousies, de ne pas donner aux clients le sentiment qu'ils se faisaient arnaquer. Je crois que c'était important, même pour préserver ma tranquillité : si tu te conduis comme un rat avec un mec et qu'il se fait arrêter, c'est toi qu'il va balancer en premier.

On ne peut tout de même pas dire que ce soit un métier « tranquille »!

Non bien sûr. En fait, il faut relativement se faire respecter pour éviter d'être trop dérangé. Éviter que des types débarquent chez toi à 3 heures du mat, qu'ils appellent ta mère à 6 heures parce qu'ils sont en manque et qu'ils ne veulent pas entendre que tu as déménagé...

Comment un dealer est perçu par ses clients ?

C'est assez ambigu. Les consommateurs créent une relation de dépendance et d'hyper-jalousie vis-à-vis de leur dealer. Donc, t'es obligé d'être à la fois assez distant pour ne pas être emmerdé mais en même temps, tu peux pas les considérer comme de la merde. J'ai vu des scènes pitoyables : des types te cirer les pompes, faire ta vaisselle, pour avoir un shoot. Ce sont de vraies relations de pouvoir qui s'imposent entre le dealer et son client. Il est facile d'en abuser. Moi je pense qu'il vaut mieux ménager la psychologie des gens.

Qu'est-ce que les clients « attendent » de toi ?

Pour un junk, un « super-plan » ce n'est pas forcément un plan pas cher. L'essentiel c'est que la poudre soit facile à obtenir, qu'elle soit bonne et surtout que le dealer ne te fasse pas trop sentir qu'il te prend pour une merde. Le plus grand bonheur pour un junk c'est d'être copain avec son dealer.

Dans le livre on dit que les dealers à domicile ne sont pas ponctuels, pourquoi ?

Là encore, c'est parce que vous voyez les choses du point de vue du consommateur. La dealer a forcément pris de la poudre, pour lui le temps ne passe pas à la même vitesse. En plus, pour le client qui n'en a pas pris l'attente est démultipliée. On oublie toujours cette grande différence entre le dealer et le client : l'un est défoncé, l'autre pas encore.

Pendant toutes ces années où tu as dealé, tu as vécu avec une femme. Maintenant que tu ne prends plus de poudre, comment vois-tu le couple que vous étiez alors ?

On s'est connus avant la poudre, on a continué notre relation à travers elle. Ça a beaucoup changé notre sexualité, il n'était plus nécessaire de faire l'amour. La sensualité, la tendresse prenaient le dessus. Maintenant c'est difficile, on cherche des repères. La poudre ça casse quelque chose, le côté enfantin qu'il peut y avoir dans l'amour car on se voit faire quelque chose qui est mauvais pour soi, on se détruit.

Il prenait de la poudre depuis dix ans. Il y a deux ans, il a tout arrêté. Depuis six mois, il sait qu'il est séropositif, sa femme aussi.

Le deal dans la rue

Qui deale?

Le dealer de rue a toujours à peu près le même profil. Vraiment dans la zone, souvent immigré, sans argent ni domicile fixe. Mais alors,

Comment se procure-t-il les fonds?

Une « relation » se propose « charitablement » de lui procurer une source de revenus tellement importante que rares sont ceux qui refusent l'offre. La première fois, on lui avance les 15 ou 20 grammes nécessaires à son négoce. A charge pour lui de les revendre au prix fort (par paquets de 100 F) pour rembourser. Ensuite, il rachète au même demi-grossiste qui s'est ainsi attaché, à peu de frais, un nouveau client et règne en maître sur son réseau de petits revendeurs.

Ça peut rapporter gros?

Oui. Un petit dealer de rue peut gagner quelques millions en quelques semaines et partir au bout du monde. Mais il ne s'arrête jamais à temps. Le pourvoyeur a tout intérêt à l'inciter à continuer le plus longtemps possible. Il peut aussi finir par « toucher » à la marchandise, en consommer et se faire éliminer du réseau parce qu'il n'est plus rentable. Au bout du compte, ça rapporte la taule ou, de nouveau, la zone.

Quels sont ces réseaux?

Même à ce niveau, les enjeux économiques sont tellement importants que ces petits dealers sont

OBLIGÉS de se plier à des règles de fonctionnement et d'organisation très contraignantes et très sophistiquées.

La multiplication des paquets

<table>
<tr><th>Les prix</th><th>Quantité
15 grammes</th><th>30 grammes</th><th>50 grammes</th></tr>
<tr><td>Prix d'achat
maximum
1/2 gros</td><td>5 000 F</td><td>8 000 F</td><td>10 000 F</td></tr>
<tr><td colspan="4">Chaque gramme est divisé en 15 à 20 paquets à 100 F</td></tr>
<tr><td>Profit
du dealer</td><td>× 6</td><td>× 7</td><td>× 10</td></tr>
<tr><td>Produit brut
de la vente</td><td>30 000 F</td><td>60 000 F</td><td>100 000 F</td></tr>
</table>

L'organisation du travail

Le principe de vente du dealer de rue est d'être toujours visible et disponible pour ses clients, quelle que soit l'heure. Au même endroit.

Il n'a jamais l'héro sur lui, sinon il finit rapidement au commissariat du coin. Parfois il travaille avec une ou deux autres personnes : l'une récolte l'argent, l'autre va chercher les paquets planqués sous une porte cochère, dans un feu rouge, un poteau électrique... et les file au client. On trouvera une peinture très réaliste de ce type de réseau dans le film de Claude Berri *Tchao Pantin.*

Un grand principe : la surveillance mutuelle

Elle a pour but d'éviter que le petit dealer ne prenne de la poudre. Assurée entre les membres d'un même réseau, les petites amies en sont les rouages principaux. Par exemple, ce sont elles qui découvrent les traces de piqûres sur les bras, les petites pupilles et rendent compte au semi-grossiste de la bonne santé du petit dealer.

Pourquoi le petit dealer de rue n'est-il pas un petit junky ?

Pour la sécurité et la prospérité du réseau. Si le dealer prend de la poudre :

1) Il ne pourra plus faire sept ou huit fois la culbute.

2) Il va s'accrocher. Les paquets à 100 F qu'il vend contiennent 30 à 50 mg d'héroïne. Un junky dépendant doit en consommer dix fois plus, soit 10 paquets par jour = 1 000 F. Tout son stock quotidien. Donc, il ne fait plus de bénéfice. Le petit revendeur ne pourra plus racheter d'héro à son pourvoyeur. Il va taper dans ses réserves, couper de plus en plus la poudre qu'il vend et finalement, perdre ses clients.

3) Il devient alors un élément dangereux qui met en péril le demi-grossiste et tout son réseau de revendeurs. Une organisation de ce genre ne peut se permettre aucune faiblesse, son trafic est si voyant qu'il est toujours parfaitement connu de la police (identification des individus, localisation du lieu de transaction...) mais les flagrants délits sont difficiles voire impossibles.

4) De plus, le dealer accro finit par comprendre ce qu'est l'héroïne, le manque, la dépendance. Il saisit mieux l'état d'esprit et les supplications de ses clients. Il risque de devenir moins bon vendeur, moins bon pusher.

Qu'est-ce qu'un pusher?

C'est la grande nouveauté des années 80 en France. Avant les dealers étaient aussi des consommateurs de leur propre produit. Un pusher, par contre, ne touche pas à la « marchandise ».

Il ne sait pas si ce qu'il vend est de l'héroïne ou du Nescafé. D'ailleurs il s'en fout. Si un toxico lui fait remarquer qu'il peut mourir d'un shoot de terre ou de café soluble, il répond : « Tu n'as qu'à pas fixer ». Imparable. Sauf que la poudre qu'il vend est rosâtre, en cailloux un peu humides (voir p. 134) et qu'on ne peut pas faire autrement que de la shooter. S'il peut perdre ainsi un client « difficile », il sait par contre être extrêmement « gentil et généreux » pour en trouver d'autres : c'est la technique du pusher. En anglais, « to push » signifie « pousser ». Le pusher est par nature prosélyte.

Le pusher

Le pusher rencontre un nouveau client. Alors qu'il ne voulait acheter que trois paquets à 100 F, le pusher lui en donne cinq. Pour le client en manque ou le néophyte, c'est le super-cadeau. Le pusher devient son « meilleur ami »... Quand on sait que deux paquets de plus ne lui coûtent que 30 F (voir tableau supra), et qu'ils vont lui permettre d'accrocher le client, on voit à qui est vraiment destiné le cadeau.

Le pusher redevient illico aussi pourri et dur qu'avant. Un revers toutefois à cette « médaille » : avec de telles méthodes, il se fera balancer en tête de liste si son client tombe. Étant donné la solidarité du réseau, la balance devra au préalable réserver un billet sur un long courrier.

Le supermarché du deal

ou les Mousquetaires de la Distribution

C'est l'autre extrême de la revente. Elle est au commerce de la poudre ce qu'Edouard Leclerc est à « l'épicier arabe du coin ». C'est un système de distribution quasi industriel et donc « froid » : ici pas de détail ni de rapports troubles ou sado-maso entre clients et dealers.

Le cas que nous décrivons ici a réellement existé. Trois dealers avaient mis sur pied un système imparable.

Si j'avais voulu me fournir auprès d'eux, voici le labyrinthe qu'il m'aurait fallu emprunter.

1) On me branche sur un plan en me donnant un numéro de téléphone à appeler.

2) Je téléphone à ce premier numéro. Je donne mon nom ou mon pseudo. A l'autre bout du fil, un type vérifie que je figure sur sa liste. Il n'est au courant de presque rien, il est seulement bien payé, 5 000 F la semaine, par les dealers. Vérification faite, tout est OK. Il me donne un second numéro auquel je dois appeler dans les dix minutes qui suivent, sans doute le temps de prévenir.

3) Deuxième numéro. Je tombe sur quelqu'un qui me connaît personnellement et discute cinq minutes avec moi pour vérifier si je suis bien celui que je prétends être. Il n'est question de rien d'autre. Il finit par me donner un troisième numéro.

4) Au troisième coup de fil, on me donne enfin une adresse et un rendez-vous très précis.

5) En bas de l'immeuble convenu. Un type, averti

par le numéro 2, vérifie mon identité. Vague fouille, je peux monter.

6) A l'étage. Trois types. Le premier porte un flingue, le second pèse et empaquette, le dernier ramasse la monnaie. Durée de l'opération : cinq minutes. Aucune conversation.

Au bout d'une semaine de ce petit ballet (le dimanche), tout change : l'adresse et les numéros de téléphone. Le sixième jour, mon contact téléphonique personnel (numéro 2) prend soin de me donner le numéro de la semaine suivante. Celui du premier vérificateur, le type à la liste. Je me réinscris. Si je n'ai pas appelé le sixième jour, il me reste une dernière chance : je peux, le septième jour, rappeler l'ancien numéro (le numéro 1). Un répondeur me dit : « Bonjour, je travaille, vous pourrez me joindre ce soir après 21 heures. A tel numéro » (le nouveau). Mais attention, il s'agit là d'un verrou de sécurité supplémentaire. Le plan ne fonctionne que de 14 heures à 19 heures : c'est à ces heures ouvrables qu'il faut appeler et non pas après 21 heures. Tous les habitués de ce système sont censés connaître les véritables heures d'ouverture. Les étourdis et les blaireaux qui rappellent le soir sont éliminés du circuit. Ce plan est conçu pour des acheteurs quotidiens. Ceux qui achètent plus gros mais moins souvent sont tenus au courant des changements.

Parfois le changement s'effectue aléatoirement au bout de cinq, onze jours... Cela réduit d'autant les risques de repérage et de braquage.

Les trois dealers ont fait cela pendant trois mois. Avec au moins vingt-cinq clients sur leur liste achetant chacun deux ou trois grammes quotidiens, ils manipulaient au bas mot 10 millions d'anciens francs par jour, dont un bon tiers de bénéfice.

Épilogue

Aujourd'hui, le premier dealer est en prison (pour une vétille sans rapport), le second voyage, et le troisième a ouvert un commerce à l'étranger.

Le supermarché ne fonctionne plus. Le nouveau gérant a eu des problèmes d'approvisionnement et, plusieurs fois, de la mauvaise marchandise. Les clients, tous riches et exigeants, ont changé de crèmerie.

Quant aux autres, ceux dont on louait pour quelques heures et à prix d'or, les services ou l'appartement, ils n'ont jamais été au courant de la nature *exacte* du trafic. La police non plus.

L'argent de la poudre

Arrivés au terme de ce chapitre sur l'héroïne, nombreux doivent être les parents qui auront relevé une énigmatique contradiction :

L'héroïne est une drogue hors de prix
Le junky ne peut pas travailler
ALORS, D'OÙ VIENT L'ARGENT ?

Avant d'y répondre, plusieurs remarques s'imposent.

1) Il existe des héroïnomanes productifs. La police estime que seuls 5 % des toxicomanes financent leur besoin avec des fonds propres. Même s'ils sont rares, ils ont une activité qui peut s'accommoder de la poudre. Ils n'appartiennent pas exclusivement au show biz, ni à la pub, et ne sont pas non plus tous patrons de boîte de nuit.

Aujourd'hui, on vend aussi de l'héroïne dans les cours de ferme, là où dix ans plus tôt on allait chercher son lait. C'est sans doute un cas limite, mais il n'est plus si rare de rencontrer de jeunes agriculteurs qui s'enfilent un gros shoot en guise de petit déjeuner ou de casse-croûte de 10 heures. Sans parler des métallos, des soldats, des fonctionnaires... Ces consommateurs productifs insufflent une masse d'argent dans le marché et nourrissent au passage (voir les Plans p. 173) de nombreux intermédiaires. Quant aux 95 % restant, la police fait l'erreur de tous les assimiler à des délinquants du type voleurs à la tire, cambrioleurs, racketteurs. Il est vrai qu'une partie de cette petite délinquance finance la poudre. Mais elle n'est qu'une forme radicale d'un principe plus général de parasitage de l'économie qui va de la fraude fiscale à la « fiscalité propre » de l'héroïne en passant par les « 100 F » tapés aux parents.

2) Le marché de l'héroïne répond à une logique économique très particulière. On a déjà dit (voir p. 79) qu'un doublement du prix de l'héroïne n'entraînerait pas une diminution notable de sa consommation. Rien de plus facile à comprendre : la dépendance du junky à la poudre est plus forte que toute considération pécuniaire.

Le prix de la lutte

L'action de la police ne conduit qu'à réduire l'offre en traquant les réseaux d'approvisionnement mais ne prend pas en compte dans son ensemble la complexité économique du problème. C'est peut-être pour cette raison que M. Pasqua a décidé de prendre le problème à l'envers et de le résoudre en traquant les acheteurs (la loi de 1970 au pied de la lettre : consommateur = délinquant, se piquer mène tout droit en prison). *A priori* le raisonnement relève du bon sens. Mais il s'effondre à l'épreuve des faits :

– La peur du gendarme ne dissuadera pas plus un drogué en manque que le doublement du prix de sa poudre.

– Plus la police réprime au hasard les petits réseaux (îlot géographique où se pratique le trafic, rafles ponctuelles...) plus elle disperse ses efforts et moins elle est efficace. Si on prend l'exemple des USA, on s'aperçoit que la percée de la cocaïne sur le marché correspond très exactement à un changement de stratégie de la police. Auparavant, au milieu des années 70, les CENTAC * (mi-brigade des stups, mi-service de renseignements) avaient pris le problème différemment. Ils traquaient les filières internationales de A à Z, du petit dealer au banquier new-yorkais, du chimiste au général asiatique. Ils avaient ainsi fait disparaître totalement le LSD * et le redoutable PCP * (l'angel dust, un anesthésiant pour cheval). Depuis la disparition des CENTAC, la police est moins efficace. Elle se focalise sur les prises de drogue aux frontières. C'est spectaculaire pour l'opinion publique mais n'inquiète pas les trafiquants. D'autant qu'une bonne partie de ce travail est efficacement assurée par les services des douanes. La quantité de marchandise trafiquée est en hausse constante, et les quantités saisies représentent un pourcentage toujours plus faible. Pour les douanes, ouvrir un container coûte cher, c'est une manutention longue et difficile qui ne rapporte souvent qu'un petit kilo d'héroïne par exemple. Elles ne s'y risquent que lorsqu'elles sont sûres de trouver quelque chose. Pour la police, même problème : employer tous ses agents à retourner les poches des jeunes aux sorties de métro est aussi vain qu'onéreux.

Cela laisse à penser l'expansion formidable d'un marché où tous les policiers s'épuiseraient à traquer la drogue paquet par paquet.

Voilà pour le côté pratique du « revival » de la loi de 1970. Quant à son efficacité sociale, même les amis politiques du garde des Sceaux, M. Chalandon, ne se sont pas privés, comme nous, de la mettre en doute.

Tout le monde paie

On estime, toutes drogues confondues, que le besoin de financement des toxicomanes français s'élève à 12 millions de francs par jour. Évidemment, les payeurs n'y suffisent pas. L'argent vient d'ailleurs, d'un vrai parasitage de l'économie classique. Dans un article intitulé *Fric et Trafics*, Numa Murard remarquait justement : « le drogué est un type qui ponctionne de la plus-value ». Comment ? Par une « alchimie perverse qui transforme les objets en fric à consommer au lieu de transformer le fric en objets à consommer ». Autrement dit :

M. X est un consommateur normal. Il travaille. Il gagne de l'argent et achète avec des biens de consommation.

M. Y est un junky. Il vend des biens de consommation (les siens ou ceux de ses amis junkies). Il en tire de l'argent et achète de la poudre.

M. Z est un junky pauvre. Il vole des biens de consommation. Il en tire de l'argent et achète de la poudre.

M. A est un trafiquant. Il a transformé tous les junkies en percepteurs. Il récolte l'argent et s'achète des biens de consommation luxueux. Tout le monde travaille pour lui.

Mise à plat, l'équation est scandaleuse. Hélas, elle est aussi brutale que cela. Si nous n'avons pas fait un sort précis à la drogue en milieu défavorisé, c'est que, du point de vue des pratiques, il n'y a rien de bien différent à en dire. Un peu plus de mots en verlan, un peu plus de sordide dans les conditions de vie du junky, mais pas de différence sensible en ce qui concerne l'hygiène, le cynisme des rapports humains... La grande différence, c'est comme toujours, l'argent. Les payeurs opulents ne sont pas aussi nombreux (s'il y en a un, rencontré au hasard d'une galère, ce consommateur sera presque toujours braqué s'il essaye de sortir du circuit), et les biens de consommation type hifi ou automobile possédés le sont encore moins. La solution c'est souvent le petit larcin. Mais les mobs volées, les steupos taxés sont retransformés en argent de la même manière que s'ils étaient possédés en propre. Ici, l'héroïne c'est vraiment l'impasse. Pour échapper à son emprise, il faut un véritable acquis, un poids d'existence professionnel, culturel ou affectif. Le chômage, la zone, une société vieillie qui refuse d'assimiler son sang neuf, son capital étranger, les cités béton, ça ne pèse pas lourd dans la balance face à un gramme de blanche.

Produire de l'argent avant d'obtenir de la poudre, et ce, quel que soit le niveau social du junk, c'est la grande constante. C'est sur cet argent-là, bien liquide, que les trafiquants opèrent leur ponction. Au bout du compte, on peut se demander si ce n'est pas cette ponction qui est un des aspects les plus pervers et cachés de la drogue. Et si, au rythme affolant où nous sommes partis, ce parasitage économique à l'échelle planétaire devait mettre en péril tous les équilibres? Fausser les indices, rendre impossible (et c'est déjà le cas pour la Colombie et d'autres pays d'Amérique du Sud) la juste évaluation des richesses d'un État! La question est grave, politique en tout cas, et mérite réflexion. Il va bien falloir qu'enfin la société française regarde la drogue en face et qu'elle cesse d'abandonner la question aux seuls policiers, juges et médecins.

« Très peu de gens parviennent à sortir indemnes du monde des drogues dures, mis à part certains milieux culturels (rock) qui théâtralisent leur rapport aux stupéfiants. Les autres vivent généralement un drame épouvantable. Et il faut bien reconnaître qu'il y a une certaine récupération mythologique des drogues dures méconnaissant le désarroi indescriptible dans lequel se trouve la masse des drogués, qui constitue une véritable malhonnêteté. »

FÉLIX GUATTARI

ANNEXES

Autres drogues :

L'opium

« Hier, Picasso parle de l'opium. " A part la roue, dit-il, l'homme n'a découvert que cela. " Il regrette qu'on ne puisse pas fumer librement et me demande si je fume toujours. Je lui réponds que non et que je le regrette autant que lui. " L'opium, ajoute-t-il, provoque de la bonté. La preuve, c'est que le fumeur n'est pas avare de son privilège. Il veut que tout le monde fume. " Impossible d'être moins " dans la ligne " que Picasso. »

JEAN COCTEAU. *Le Passé défini*, t. II,
journal du 15 mars 1953

Extrait directement du pavot, l'opium est sans doute la plus prestigieuse et la plus mythique de toutes les drogues. On a même fait la guerre à cause de lui. Il doit ce statut d'exception à ses effets, l'opium procure une plénitude sans égale, un oubli du corps et des mesures (temps surtout) qui n'entament en rien et tendraient plutôt à décupler les facultés mentales. C'est une drogue très absorbante :

sa consommation suffit à remplir une vie. L'autre raison pour laquelle l'opium est un mythe est qu'il est quasiment introuvable en Europe. Les vieux toxicos gardent des souvenirs émus de leur dernière boulette fumée ou avalée voilà dix bonnes années au retour d'un ultime voyage asiatique. Pour le mode de consommation voir Tintin, *Le Lotus Bleu*, où Hergé a rendu avec beaucoup de réalisme les fumeries d'Asie des années 30. Importé par des coloniaux médusés, l'opium séduisit beaucoup les intellectuels du siècle dernier. Comme l'héroïne (qui est un de ses dérivés avec la morphine), l'opium plonge son consommateur dans une puissante dépendance. Les parents d'aujourd'hui ne risquent rien : l'opium désormais est surtout une drogue de vieillards esthètes. Il est bien plus rentable de le transformer en héroïne.

Le LSD

Il est le modèle des drogues hallucinogènes tant prisées dans les années 70. Le LSD, substance expérimentale, fut diffusé à partir des laboratoires des universités américaines. On a pu voir en lui une sorte de « sauveur » venant ouvrir en l'homme un « troisième œil », sans doute chargé de repérer les corps mystiques et de regarder Dieu en face.

Aujourd'hui la consommation des drogues hallucinogènes est en très nette régression. Elles ne donnent plus lieu à un discours particulier et n'engendrent plus de sociabilité ou de pratique spécifiques. Nous nous bornerons donc à en décrire globalement les effets. En 1943, alors qu'il étudiait l'ergot de seigle, le chimiste Albert Hoffman fit, bien malgré lui, le premier « trip », le premier « grand voyage » au LSD. Il en avait depuis 1938 isolé la molécule, la diéthylamide de l'acide lysergique, mais ne savait pas encore de quelle utilité elle lui serait. Comme il travaillait sans gants, elle passa à travers sa peau sans qu'il s'en aperçût. Quelques jours plus tard, il notait sur son carnet :

« Vers le milieu de l'après-midi, alors que j'étais au laboratoire, je dus abandonner mon travail. Je fus saisi de vertige et d'une grande fatigue. Les objets et mes associés paraissaient changer de forme. J'étais incapable de me concentrer sur mon travail. C'est comme en plein rêve que je quittai le laboratoire. Chez moi, je me mis au lit dans un état d'ivresse assez plaisant, assailli par une foule d'images. Quand je fermais les yeux (la lumière du jour m'était des plus désagréables) des images incroyables avec des formes extraordinaires et des couleurs intenses semblaient surgir devant moi. Elles se mouvaient comme dans un fantastique kaléidoscope. »

Présumant du produit responsable de ces troubles, Hoffman décida quelques jours plus tard d'en ingérer volontairement une nouvelle dose qu'il pensa être toute petite : 250 microgrammes! (Soit 10 fois la dose minimale pour produire un effet hallucinogène et 3 fois la dose habituellement vendue dans les années 70.) Il rapporta cette expérimentation dans son carnet médical :

> « J'avais perdu toute notion du temps. Je notais avec peine que mon entourage subissait des changements progressifs. Mon champ de vision divaguait et tout m'apparaissait déformé comme dans un miroir incurvé. L'espace et le temps devinrent de plus en plus désorganisés et j'étais totalement submergé par cette idée terrifiante : j'étais en train de devenir fou. Le pire est que j'étais entièrement conscient de ce qui m'arrivait mais incapable d'enrayer le processus. Ma capacité d'observation n'était absolument pas altérée. »

Les notes s'arrêtent ici. Les derniers mots ne furent écrits qu'à grand-peine. La suite fut écrite plus tard :

« Les visages des gens qui étaient là ressemblaient à de grotesques masques bariolés. (...) Parfois je me tenais hors de moi-même comme un observateur neutre, me regardant passivement m'esclaffer follement ou balbutier des absurdités. Par moments je me sentais hors de mon corps. C'était comme si j'étais mort. Mon moi était comme suspendu quelque part dans l'espace d'où je voyais ma dépouille étendue sur le sofa. Le docteur trouva mon pouls plutôt faible en dépit d'une circulation tout à fait normale. (...) Tous les sons – par exemple le bruit d'une voiture qui passe – étaient transposés en sensations visuelles. Ainsi, à chaque bruit ou tonalité correspondait une image changeant de forme et de couleur comme dans un kaléidoscope. »

(Nous traduisons.)

L'ecstasy

La « pilule de l'amour » porte un nom beaucoup plus prosaïque : le MDA, (MéthylèneDioxyAmphétamine). Cette molécule a été découverte en 1910 en Allemagne. Mais c'est Gordon Alles, le père des amphétamines, qui a pour la première fois expérimenté ses effets hallucinogènes. Le MDA produit des effets similaires à ceux des drogues psychédéliques mais appartient, chimiquement parlant, à la même famille que les amphétamines. C'est le LSD en beaucoup moins puissant combiné aux effets du speed * :

– on parle énormément,

– toutes les perceptions sont légèrement perturbées : l'intensité des couleurs augmente. Les yeux fermés, des images surgissent,

– les sensations physiques sont plus intenses.

Aussi, la grande mode est de l'utiliser pour faire l'amour. Contrairement au LSD, ses effets sont contrôlables,

– mais, psychologiquement, le désir sexuel n'en est pas pour autant plus grand : on a plutôt envie de ne rien faire du tout.

Cette drogue, occultée dans les années 70 par le succès du LSD, est revenue en force vers 1978 en Californie sous le nom de « speed for lovers ». Dans les derniers mois elle s'est beaucoup exportée en France. L'ecstasy est aujourd'hui à Paris la dernière pilule dont on cause.

Moins célèbre, le Yohimbe est un aphrodisiaque plus sûr, bien plus, aussi, que les Poppers vendus dans les sex-shops, qui ne sont que des gaz hilarants, de surcroît nauséabonds.

La pharmaco-dépendance

Médicament + alcool...

C'est une des formes de toxicomanie les plus répandues et certainement la plus « radicale ». En effet, cette pratique, plus que les autres est liée d'emblée à une volonté d'autodestruction à peine masquée. Elle ne procure presque aucun plaisir, n'intègre pas son usager à un groupe de toxicomanes semblables à lui. Cette « mania » n'implique aucune sociabilité. C'est une pratique solitaire dont l'unique but est l'oubli, l'endormissement et, au bout du compte, le coma et la mort. Sorte de monstre hybride composé de drogues légales, elle a remplacé de façon plus tragique encore l'assommoir du XIXe siècle. La « pharmaco-toxicomanie » pose *directement* le problème que *finissent* toujours par poser les drogues dures : celui de l'anéantissement de soi, du suicide, de la peur de vivre mais aussi de celle de mourir. On peut d'ailleurs constater que, comme les tentatives de suicide, cette forme de toxicomanie touche en priorité les filles. C'est une toxicomanie brute, qui n'a pas d'autre objet que l'intoxication elle-même.

... = mort

NB. L'alcool et les barbituriques (ou les tranquillisants) sont tous les deux des dépresseurs du système nerveux central.

Aussi, leurs effets *s'additionnent,* causant de nombreux décès accidentels si par exemple on a beaucoup bu et qu'on prend en se couchant la même dose de somnifères que d'habitude.

La drogue à Hollywood

Dans son étonnante biographie de Marilyn Monroe, le journaliste américain Anthony Summers écrit :

> « L'abus de drogues est le fléau d'Hollywood depuis 1920. Seules les modes ont changé. Les premières étoiles du cinéma muet s'adonnaient à la marijuana ou à l'héroïne. Puis, à partir des années 40, avec le développement de l'industrie pharmaceutique, pilules, comprimés et cachets envahirent la place. L'immédiat après-guerre fut l'âge d'or des « bennies », surnom donné aux divers dérivés de la benzédrine. Ces « bennies » maintenaient en éveil, étaient bons pour la « ligne » (car ils supprimaient l'appétit) et vous procuraient une vague euphorie. La benzédrine engendra la Dexédrine, et celle-ci, unie à l'amytal sodium, le Dexamyl. Le Dexamyl connut une vogue extraordinaire à Hollywood au début des années 50 : il n'y avait rien de tel pour être au meilleur de sa forme. Mais on découvrit bientôt son revers : graves troubles du métabolisme et insomnie absolue. Alors arriva la vague des barbituriques – Seconal et Nembutal – sur lesquels stars et ratés du cinéma se jetèrent comme sur des tickets pour l'oubli. Tout cela combiné à l'alcool – qui était là depuis toujours – formait un cocktail catastrophique. C'est le Nembutal qui, un jour, devait tuer Marilyn.

Les acteurs partaient pour l'autre monde, l'un après l'autre, mais rien ne semblait pouvoir arrêter l'avalanche d'ordonnances mortelles. Le docteur Lee Siegel, qui travaillait pour la Fox, fut le médecin traitant de Judy Garland et, durant de longues périodes, de Marilyn. Il a toujours son cabinet, Wilshire Boulevard, et il évoque en hochant la tête cette période où les patrons de studios encourageaient expressément les acteurs à se bourrer de comprimés. « On considérait ces médicaments comme un moyen, entre autres, d'entretenir les acteurs en état de marche. Vous, médecin, vous étiez coincé : vous pouviez certes refuser de prescrire ceci ou cela, il y aurait toujours un confrère pour le faire à votre place. Au début des années 50 (...) ils se droguaient tous. »

Les amphétamines

Argot : *speed* (vitesse).

Presque toutes les femmes connaissent ces substances de synthèse sous la forme de pilules coupe-faim prescrites pour accompagner les régimes amaigrissants.

Ce sont en fait des STIMULANTS dont les effets sont similaires à ceux de la cocaïne et qui donnent donc lieu à un usage toxicomaniaque très dur. Comme toute cette famille de drogues, les amphétamines ne créent pas de dépendance physique (assuétude). Mais l'accoutumance psychologique peut être très forte, d'autant que la particularité des amphétaminomanes (speed freaks) est qu'ils finissent presque toujours par s'injecter la substance en intraveineuses. Ils utilisent alors une poudre blanche spéciale appelée « crystal * ». L'effet est très violent, comparable à celui de la coke lorsqu'elle est prise de la même façon : une puissante montée *, une promotion * physique instantanée, mais surtout, un flash * beaucoup plus puissant. De manière plus imagée, le toxicomane dit que « d'un seul coup, on se prend pour Superman, mais un Superman très clair, très net ». Pas celui qui va sauter par la fenêtre. Il ne supporte plus alors aucun bruit et difficilement la lumière vive. 10 minutes plus tard, c'est une immense fatigue, en proportion avec la stimulation, qui le terrasse. Il lui faut recommencer 20 à 30 fois par jour s'il ne veut pas redescendre et... ressentir les effets NORMAUX du produit!

Toujours plus haut

En effet, dans le speed, seul le flash est recherché. Ce n'est pas la « vitesse » en soi qui intéresse ces toxicomanes, mais l'« accélération ». Ce n'est pas « être » défoncé qui constitue le cœur de leur pratique, mais « se » défoncer. Aussi, cette toxicomanie est une sorte de prototype de toutes les autres dans la mesure où elle est *l'abus* par excellence.

L'amphétaminomane ne trouve pas son plaisir dans un état dont la nature serait différente du sien, mais dans un état dont le degré est supérieur au sien.

La colle

Colle *, trichloréthylène * et autres solvants organiques font des ravages inattendus auprès des plus jeunes. La moyenne d'âge de ces toxicomanes varie entre treize et dix-huit ans, à peine huit ans pour les plus jeunes. Depuis 1984, un arrêté interdit la vente de trichlo aux mineurs. Toutefois le problème reste entier. Sniffer de la vulgaire colle à vélo c'est encore plus simple que de trouver du shit et surtout ça ne suppose pas une approche volontariste des stupéfiants. La colle est là, à portée de main, il suffit de vider le tube dans un sac en plastique et d'inhaler. Les effets sont désastreux : vomissements, étourdissements violents jusqu'à la perte de connaissance. C'est alors mortel lorsqu'on a un sac plastique sur la tête : on peut mourir étouffé.

Hallucinations sonores, illusions diverses : je peux voler, donc je me jette par la fenêtre... le vrai danger de la colle est là : dans ce sentiment d'indestructibilité que les enfants ne parviennent pas à maîtriser. La colle est une drogue « cheap », de pauvre, elle fait des ravages dans les capitales du tiers monde, à Bogota (essence, kérozène) mais aussi dans les banlieues les plus défavorisées de nos villes françaises.

La drogue n'est pas le problème des « spécialistes », il est le problème de chacun. Pour s'attaquer à cette difficile question, il faudrait mobiliser des compétences très diverses, à condition que l'on dispose d'une information sérieuse. Dans trois domaines très différents : la sociologie, la vie judiciaire et la publicité, nous avons demandé à des professionnels de réfléchir pour nous sur un aspect du problème de la drogue tel qu'il pouvait interpeller leur discipline quotidienne. Voici le résultat de leurs travaux. Bien des *a priori* y sont dissipés. Nous remercions vivement Isabelle de Montille, Juliette Novak et maître Claude Paoli pour leur fructueuse collaboration.

La drogue en France : faits et chiffres

Approche sociologique

Données statistiques

Circonscrire statistiquement la toxicomanie ou dresser le portrait robot du toxico sont des tâches impossibles. Les chiffres officiels, fournis par les différents ministères concernés ne peuvent être efficacement exploités, car :

1. Ils ne se réfèrent pas à la même définition du toxicomane. De plus, comme tout phénomène soumis au comptage statistique, la toxicomanie est un objet construit socialement par les institutions qui opèrent son classement. C'est pourquoi la représentation donnée de la toxicomanie par le corps médical, par exemple, n'est pas plus « objective » que celle d'un parti politique mais tout autant l'émanation du discours d'un groupe social. Ainsi chaque administration possède ses critères propres :

– Le ministère des Affaires sociales recense les toxicomanes soignés.

– La Chancellerie prend en compte les jugements rendus et les Infractions à la Législation sur les Stupéfiants (ILS).

– Le ministère de l'Intérieur enregistre les interpellations et les saisies, auxquelles s'ajoutent celles du service des douanes.

Ces chiffres ne font pas l'objet d'un traitement conjugué et chaque donnée demeure très incomplète : on ne saisit pas toute la drogue en circulation, tous les toxicomanes ne se font pas arrêter ni même soigner.

2. Par définition, un phénomène clandestin échappe, pour une bonne part, aux statistiques.

Seule la réunion de membres du corps médical, du milieu judiciaire et policier travaillant en liaison régulière avec des sociologues, des psychologues, des statisticiens et des économistes et... des toxicomanes, permettrait une analyse simultanée sérieuse.

Phénomène de génération

Les chiffres concordent au moins sur un point : la toxicomanie touche majoritairement la jeunesse. En 1985, selon l'Office Central du Trafic et de la Répression des Infractions aux Stupéfiants (OCTRIS), 77 % des toxicomanes ont entre 16 et 25 ans. C'est dans cette tranche d'âge que la drogue fait son lit et non pas, contrairement à une idée reçue très répandue, seulement au lycée. Un âge clé dans nos sociétés occidentales puisque c'est entre 18 et 25 ans que l'on fait les premiers choix : scolaires, professionnels, matrimoniaux...; c'est aussi le moment où se décide le mode de vie, la position sociale, jusqu'alors assurés par les parents.

Nous ne reviendrons pas sur les explications

Les toxicomanes par tranche d'âge
Source : OCTRIS

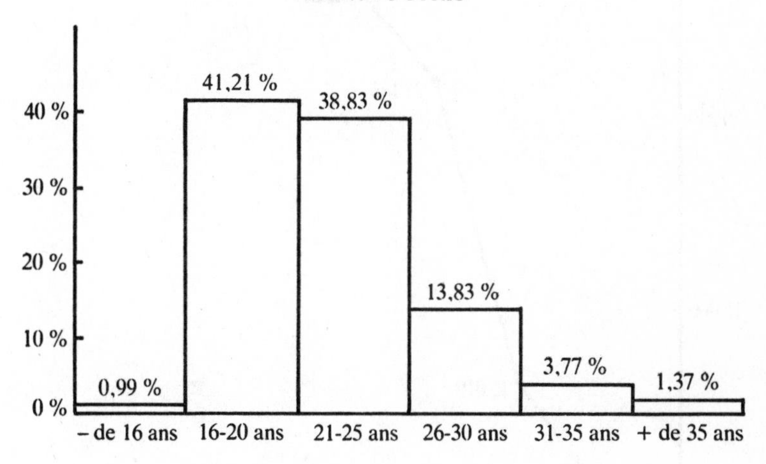

Nombre d'usagers interpellés,
toutes drogues confondues.

Source : Office Central pour la Répression du Trafic illicite des stupéfiants.

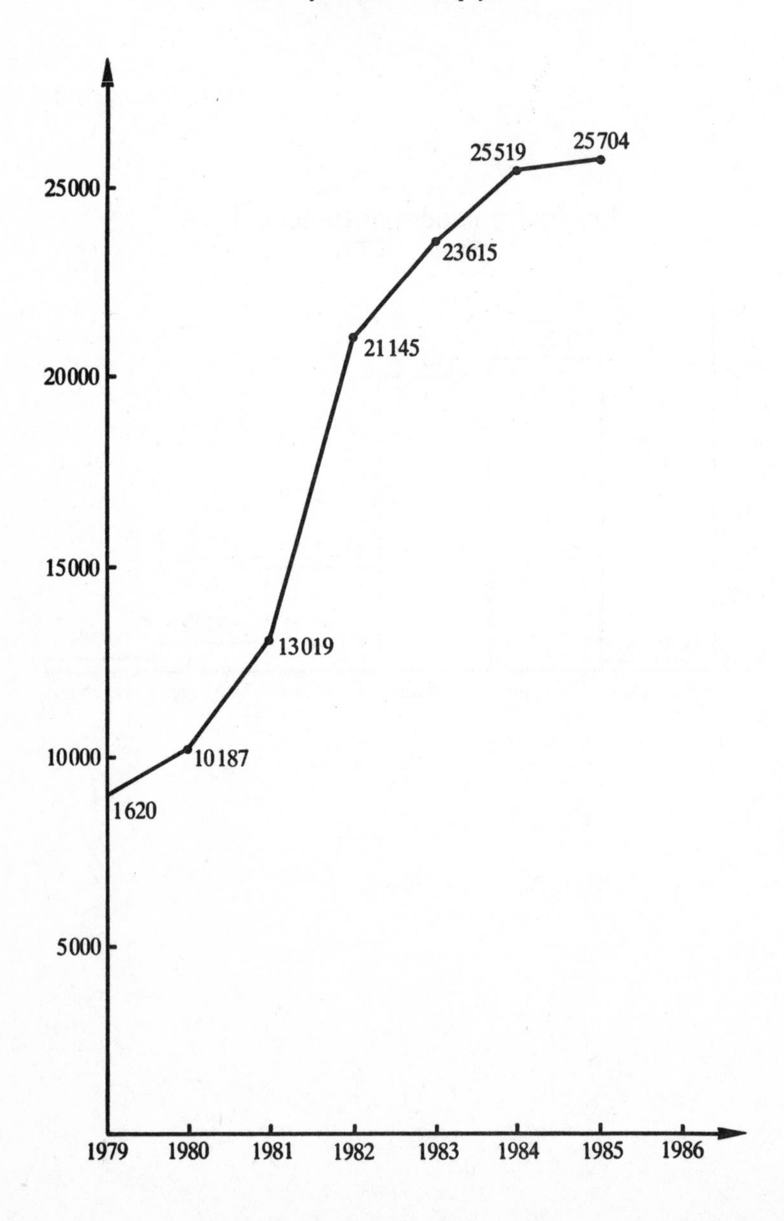

psychosociologiques de la toxicomanie, largement évoqués par ailleurs. Nous nous contenterons de relever dans diverses enquêtes par sondage des faits saillants qui battent en brèche la trop facile « responsabilité des parents » à laquelle on a trop souvent recours.

Une enquête, menée auprès des 14-20 ans par l'UER de psychologie de Paris V, établit que 80 % des sondés recourent à la TV, à la presse et au cinéma pour s'informer sur la drogue. Seuls 10 % d'entre eux considèrent qu'ils pourraient s'informer auprès des parents et des enseignants. En 1982, dans un sondage Louis Harris, ces mêmes 14-20 ans déclarent s'intéresser peu à la politique et lorsqu'ils s'informent c'est au travers des médias. Là encore, 10 % seulement consultent les parents. La famille n'est décidément pas une source d'information crédible.

Mais, paradoxalement, en 1983, toujours selon un sondage Louis Harris, la famille est perçue comme une valeur primordiale pour 93 % des 15-20 ans. Elle arrive bien avant ce qu'on considère d'habitude comme les préoccupations des jeunes : l'amour, la musique... Alors, que se passe-t-il ? Il n'y a pas de démarche des jeunes vers leurs parents, pas de dialogue. Les jeunes semblent moins attendre de leurs parents des informations que des valeurs.

C'est moins étonnant lorsqu'on sait que 56 % des Français trouvent les 15-25 ans « difficiles à comprendre »; c'est une des premières qualifications qu'ils attribuent à la jeunesse. (Sondage Louis Harris, 1984, « l'image des jeunes dans la société française.)

Ce qu'en revanche tous ces chiffres consacrés à la drogue et aux jeunes ne disent pas c'est ce que

Saisies *(chiffres OCTRIS)*
≃ 10 % du marché

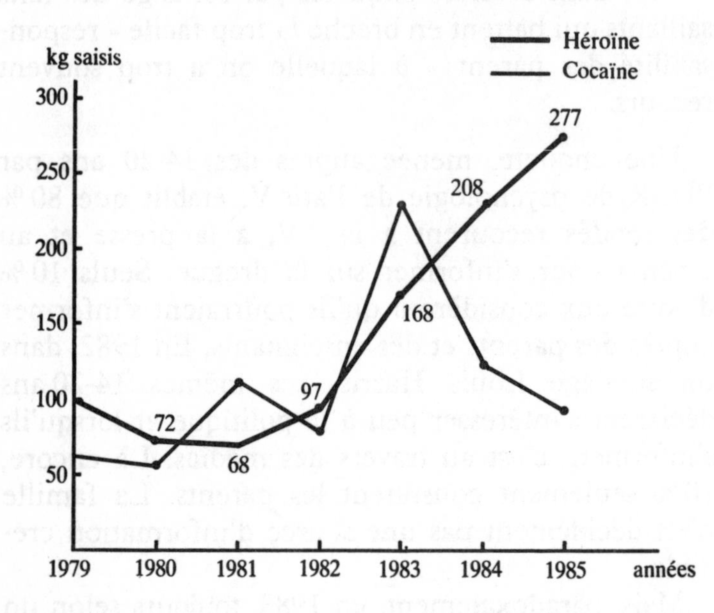

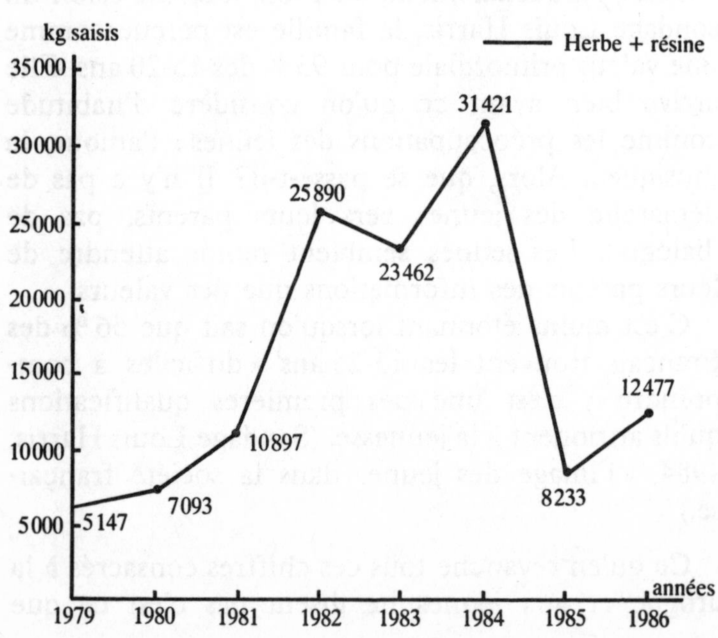

deviennent ensuite les toxicomanes après 26 ans. Il serait intéressant de savoir si ces personnes ont subi des préjudices sociaux, des retards, et quel a été leur avenir au point de vue professionnel et familial.

Combien sont-ils ?

On ne peut pas dénombrer exactement les toxicomanes, on sait seulement que leur nombre augmente. Sur la courbe des usagers interpellés, toutes drogues confondues, établie par l'OCTRIS, on constate une très forte progression entre 1981 et 1983. Ce graphique, comme celui des saisies, demande à être exploité avec la plus grande prudence. Ils rendent certes compte :

– de l'évolution du marché (on considère officiellement que les saisies représentent environ 10 % du marché),

– mais aussi de l'activité plus ou moins importante de la police.

La courbe des saisies d'héroïne fait apparaître une nette progression entre 1982 et 1985. C'est, de fait, la période où l'héroïne rose a envahi le marché français. Dans le même temps, on constate une chute spectaculaire des saisies de cannabis. Il était à cette période plus facile de trouver de l'héroïne que du haschich. Mais il est très probable aussi que la police a concentré son action de répression sur l'héroïne. La relative stabilisation de la progression des usagers interpellés, toutes drogues confondues, à partir de 1983 ne signifie donc pas nécessairement une régression de la toxicomanie. Simplement, les policiers s'étant davantage intéressés à l'héroïne, il y a eu moins d'usagers de cannabis interpellés. Sans compter que l'addiction à l'héroïne est davantage une source de délinquance, d'infractions légères que la consommation de haschich.

Qui sont-ils ?

– des jeunes, de 16 à 25 ans,
– à 75 % des garçons, les filles ne représentant que 25 % des usagers. Elles sont en revanche à une écrasante majorité consommatrices de médicaments psychotropes.

Que font-ils ?

Selon les enquêtes menées auprès des établissements de soins par le ministère des Affaires sociales en 1984, la population des toxicomanes, âgée en majorité de 20 à 29 ans, se divise en deux grandes catégories :
– Les actifs qui représentent 23 % du total. 16 % sont ouvriers ou employés.
– Les inactifs : 57 %. 29 % sont au chômage. Ce fort pourcentage s'explique par le fait que 65 % des toxicomanes interrogés sont héroïnomanes; ce qui ne laisse guère de temps pour chercher du travail, ni même pour s'inscrire à l'ANPE.

Globalement, les toxicomanes ne travaillent pas. Quand ils ont un emploi, ils occupent des postes à faible qualification. Mais là encore, attention. Plus un individu se situe haut dans la hiérarchie sociale, moins il est vu sous l'angle de ses activités condamnables.

C'est ce que semble confirmer un sondage SOFRES de 1984 sur les 16-22 ans. Ils sont 23 % à avoir fumé du haschich. Ils sont plus nombreux à en consommer régulièrement lorsqu'ils travaillent ou cherchent un emploi.

Mais, comme dit le garde des Sceaux, en matière de toxicomanie rien n'est simple. En 1979, l'INSERM a effectué une étude auprès des lycéens. Cette étude, bien qu'ancienne, est méthodologiquement sérieuse. Elle est riche en enseignements sur le statut des consommateurs de drogue. Elle porte sur la Région parisienne, la Bretagne et les Bouches-du-Rhône. Mais elle ne prend pas en compte la fréquence de la consommation ni le type de produit consommé.

– Toutes régions confondues, 7 % des lycéens avaient consommé au moins une fois de la drogue. En Région parisienne, 13 % des garçons et 10 % des filles.

– La consommation augmente avec l'âge, quels que soient le sexe et la région.

– On peut dégager deux oppositions pertinentes :

1) Région parisienne / Province.

En RP, ils sont 24 % à juger que la consommation occasionnelle de cannabis est inoffensive contre 12 % en Bretagne et 8 dans les Bouches-du-Rhône.

2) Enseignement long / Enseignement court.

Les lycéens et lycéennes de l'enseignement long ont plus fréquemment consommé une drogue que leurs homologues du cycle court. Ils sont également deux fois plus nombreux à être convaincus de l'innocuité du cannabis pris occasionnellement.

– L'origine sociale appréhendée selon la catégorie socioprofessionnelle du père n'est pas indifférente.

Ce sont les enfants des cadres supérieurs et moyens qui sont les plus nombreux à avoir essayé une drogue illicite. Les moins touchés sont les enfants d'agriculteurs.

Aujourd'hui, selon un sondage SOFRES (1984), ces chiffres tendent à se confirmer. Toutes origines sociales confondues, la moyenne des jeunes qui ont fumé du haschich est de 23 %. 32 % des shitmen * sont fils de cadres supérieurs et professions libérales. 18 % seulement sont fils d'ouvriers.

Pourquoi?

40 % des lycéens pensent que la drogue « sert à oublier le monde quotidien » et 1/4 d'entre eux donnent des motivations positives dont « augmenter les capacités personnelles » (18 %). Mais le rapport annuel 1986 du centre médical Marmottan de Paris tempère ces certitudes de lycéens directement issues des grands mythes des années 70. Il souligne que la drogue ne fait plus rêver : elle est considérée comme une véritable maladie, une entrave à la vie professionnelle par les drogués eux-mêmes.

Les antécédents observés chez les lycéens :

Les lycéens dont l'entourage familial est sujet à l'alcoolisme, au suicide ou à une maladie mentale sont plus fréquemment que les autres consommateurs de drogues.

Les antécédents constatés auprès des jeunes toxicomanes soignés :

L'environnement familial : près de la moitié des jeunes toxicomanes n'ont pas un père et une mère vivant ensemble. Un sur quatre appartient à une famille où il y a eu décès d'un des parents.

Ces facteurs n'induisent pas une relation systématique avec la consommation de drogue. Ce ne sont que des indicateurs.

La drogue est-elle un problème culturel?

On observe une curieuse évolution lorsqu'on compare les élèves des cycles courts et des cycles longs. De 1971 à 1979, les lycéens tendaient à moins consommer de tabac et d'alcool mais étaient plus disposés à fumer du haschich. Par ailleurs, dans le cycle court, les élèves sont toujours les plus forts consommateurs de tabac et d'alcool. On ne peut s'empêcher de penser qu'il y a là une discrimination socioculturelle, surtout lorsqu'on sait qu'à la même époque 58 % des élèves de CAP, CPPN et CPA (enseignement court) sont des enfants d'ouvriers et de personnel de service, contre seulement 1 % d'enfants de professions libérales et cadres supérieurs.

On a vu précédemment que les chiffres des toxicomanes soignés faisaient apparaître une forte proportion d'inactifs, de chômeurs, en principe caractérisés par un bas niveau socioculturel. N'y a-t-il que dans ces catégories que l'on trouve une forte proportion de toxicomanes ?

Pour y répondre, nous avons essayé de dessiner une carte de la toxicomanie en France. Plutôt que de tracer celle du trafic, nous nous sommes appuyés sur les chiffres des toxicomanes recensés par le ministère de la Santé dans les établissements de soins. Nous n'avons retenu que les toxicomanes domiciliés dans la même région que ces établissements et les sans domicile fixe.

VOIR CARTE

La comparaison avec plusieurs cartes qui *a priori* s'imposaient comme une évidence ne donne pas de résultats satisfaisants :

- carte du suicide
- carte du chômage
- carte de la délinquance
- carte de l'immigration
- carte du divorce.

Certes, dans certaines régions, délinquance, chômage et usage de drogues se recoupent mais la corrélation est loin d'être systématique. Par contre, le rapprochement de cette carte de la toxicomanie soignée (donc principalement des drogues dures) avec deux autres cartes ci-jointes :

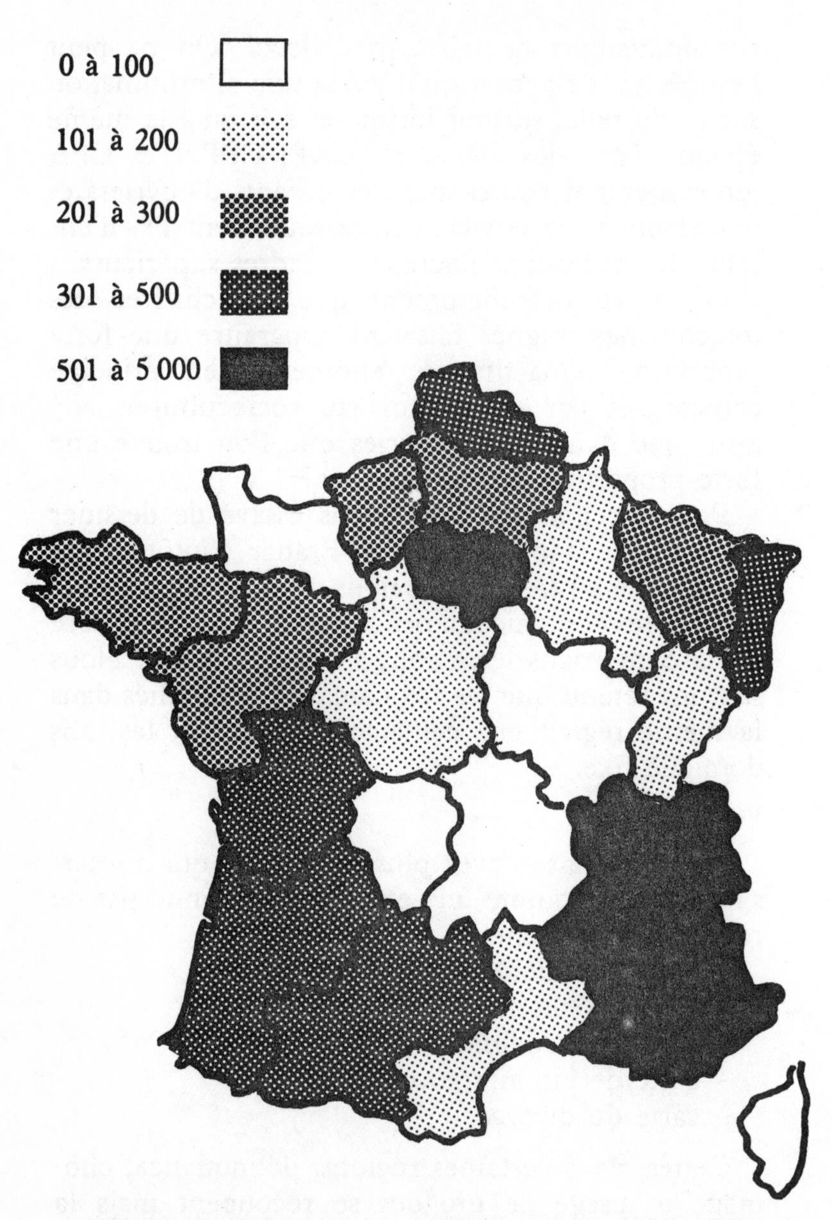

Nombre de toxicomanes accueillis par région, habitant dans cette région ou sans domicile fixe. Carte de la toxicomanie soignée dans les établissements recensés par le ministère des Affaires sociales et de l'emploi, 1983.
Source : Informations Rapides, n° 81.

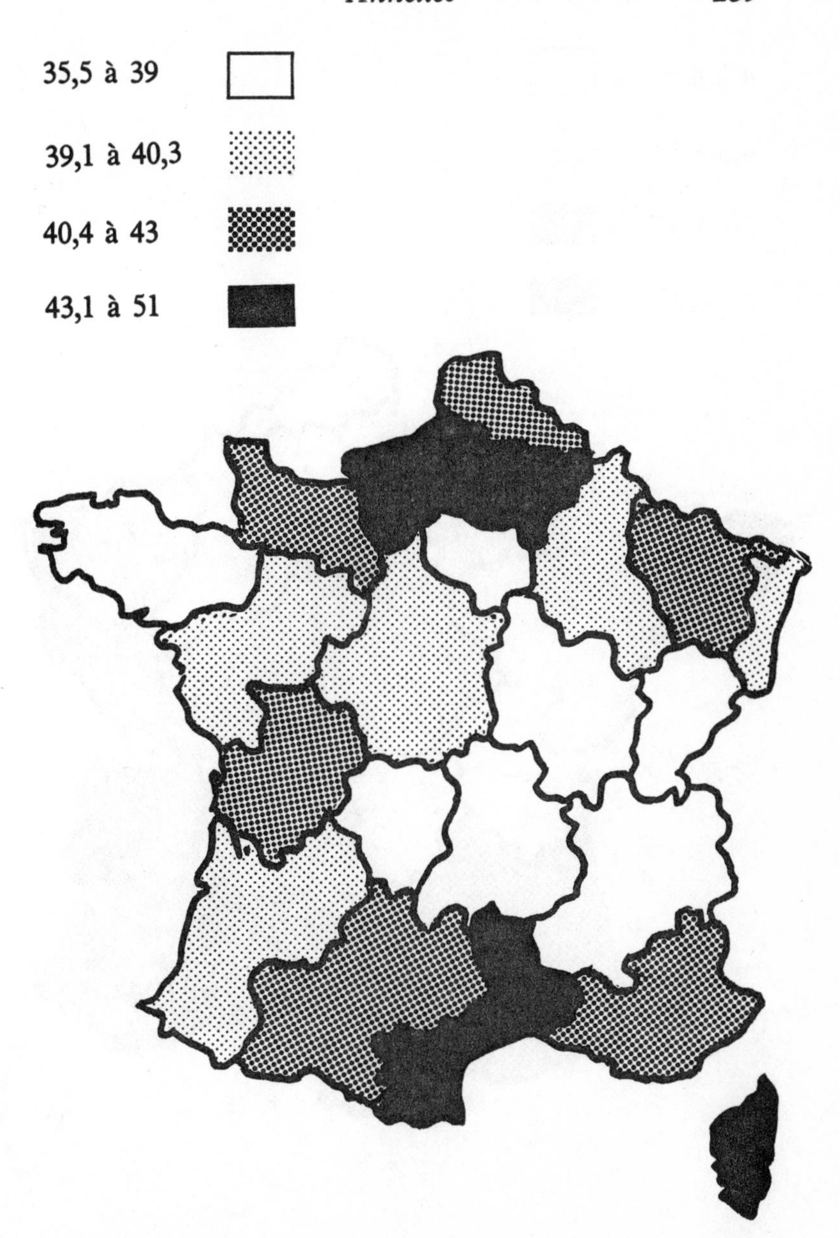

Sans diplôme : pourcentage de personnes de 15 ans et plus sans diplômes, en 1982.
Source : Le Monde, n° spécial « La France des Régions ».

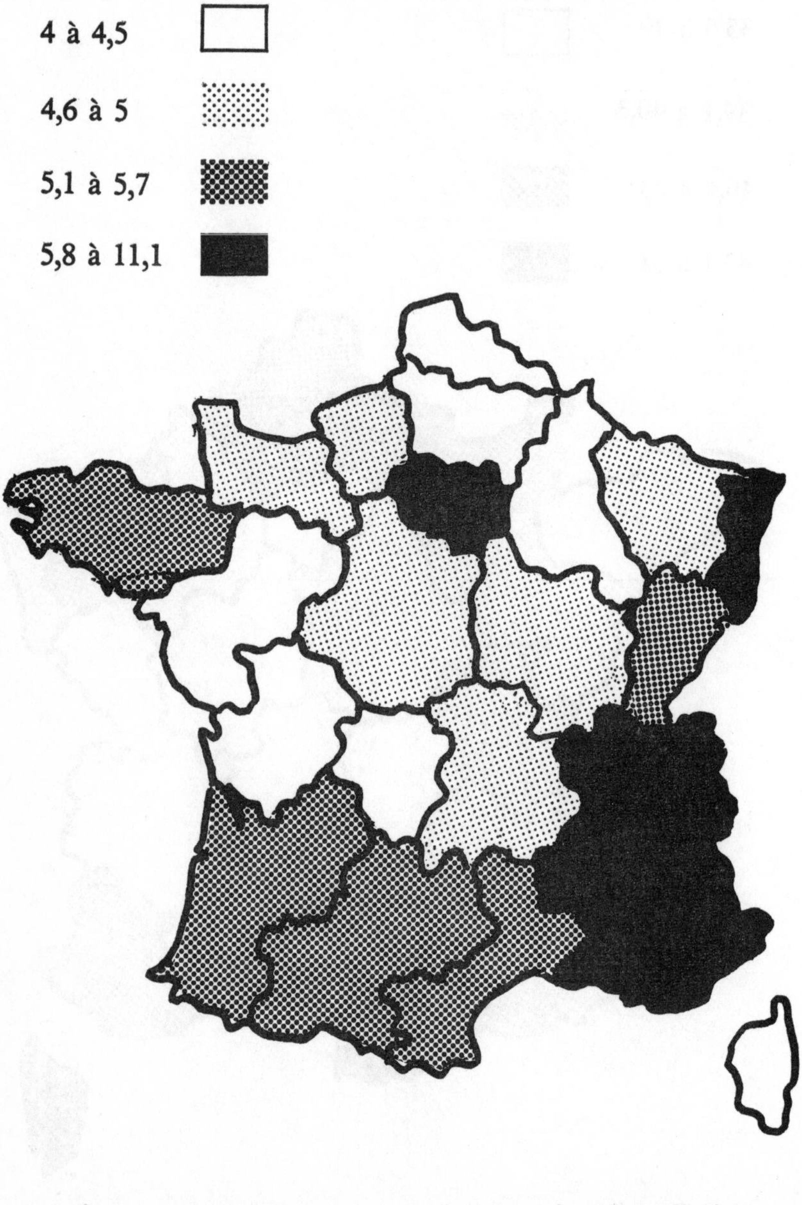

4 à 4,5

4,6 à 5

5,1 à 5,7

5,8 à 11,1

Études supérieures : pourcentage de titulaires d'un diplôme de l'enseignement supérieur sur la population de 15 ans et plus.

Source : Le Monde, nº spécial « La France des Régions ».

– les études supérieures
– les sans-diplômes
pourrait fournir un axe de réflexion.

Les régions : Provence-Alpes-Côte d'Azur, Midi-Pyrénées, Haute Normandie, Lorraine, Poitou-Charentes, Picardie possédant un fort pourcentage de sans-diplômes, sont aussi des régions où la toxicomanie est élevée. Parallèlement, les régions Provence-Alpes-Côte d'Azur, Rhône-Alpes, Région parisienne, Midi-Pyrénées, Aquitaine, Bretagne, Haute Normandie et Alsace possédant un fort pourcentage de diplômés de l'enseignement supérieur sont aussi des régions où la toxicomanie est élevée.

Curieux résultat : la toxicomanie se retrouverait aux deux extrémités d'une échelle culturelle : chez les mieux nantis et chez les plus défavorisés en capital scolaire.

Il n'existe pas de culture du « défoncé » proprement dit, cependant la piste culturelle n'est pas à exclure. Il existe une culture jeune : BD, Rock, TV, Cinéma. Cette culture correspond à une demande culturelle que ni l'école, ni, en principe, la famille ne fournissent. Elle n'est pas institutionnalisée par le système d'enseignement. D'où un décalage possible entre une demande de certains biens culturels et une offre bloquée et en retard.

Gérard Mauger, chercheur au CNRS, étudiant *L'apparition et la diffusion de la consommation de drogue en France* constate que : « à la consommation de drogue comme pratique " contre-culturelle " (celle des élites des années 70) se rajoute désormais la " défonce " sans phrase (celle des milieux défavorisés) ». Parti des milieux contre-culturels, comment l'usage de la drogue s'est-il ainsi étendu à une fraction de jeunes appartenant aux milieux populaires ? Pour l'auteur, l'explication est socioculturelle et réside dans les stratégies de « reclassement / déclassement ».

Les milieux contre-culturels se sont :

– soit reclassés dans les professions para-intellectuelles ou artistiques « parallèles » (journalisme, industrie culturelle),

– soit déclassés. « Au nombre de positions contre-culturelles investies par ceux-ci figurent en bonne place les positions d'enseignants, de maîtres auxiliaires ou de surveillants dans les collèges de banlieue. »

Ce dernier cas a favorisé un rapprochement social et spatial avec des fractions des jeunes issus des milieux populaires. Ils ont ainsi fait l'expérience d'une « version populaire du style de vie étudiant » et ont découvert « des aspirations culturelles, alors qu'ils sont voués à occuper sur le marché du travail des petits boulots d'intérimaires ».

On peut avancer l'hypothèse que dans le grave contexte de crise économique qui touche le plus durement ces catégories de jeunes, la réalisation des aspirations culturelles ci-dessus décrites est impossible pour la plus grande majorité.

« Parce que la consommation de drogues (...) a une valeur symbolique (...) et qu'elle est sans doute la pratique contre-culturelle la plus facilement assimilable par un jeune ouvrier ou employé, leur initiation à la contre-culture se réduira le plus souvent à une initiation à la drogue. »

Au fur et à mesure de la diffusion du phénomène, la pratique perd tout sens symbolique et « en définitive ne reste plus que la substance ».

Notre modeste tentative d'approche sociologique de la toxicomanie ne veut servir aucun *a priori* idéologique. Elle voudrait simplement faire toucher du doigt cette évidence : si la drogue est un problème social et culturel, elle doit être traitée comme telle. Souvenons-nous de l'enseignement de Durkheim : « La cause déterminante d'un fait social doit être cherchée parmi les faits sociaux antécédents et non parmi les états de la conscience individuelle. »

Isabelle de Montille

Drogues et cultures jeunes

Les modes	Types de drogue dominants			
	SHIT	**HÉRO**	**COKE**	**HALLUCI-NOGÈNES**
1970 **BABA** L'imagination au pouvoir	IN	out =	out –	IN
1977-1980 **PUNK** No future	out –	out +	out =	out –
1980-1984 **BRANCHES** **NEW WAVE** La crise	out =	IN	out +	out =
1984-1986 **YUPPIES** Le business au pouvoir	out +	out =	IN	out +
1987 Une tendance	IN	out –	out =	IN

N.B. (=) indifférence (–) disgrâce (+) retour, en progression. On remarque dans ce tableau que chaque drogue semble subir trois périodes successives de purgatoire avant de redevenir la drogue dominante.

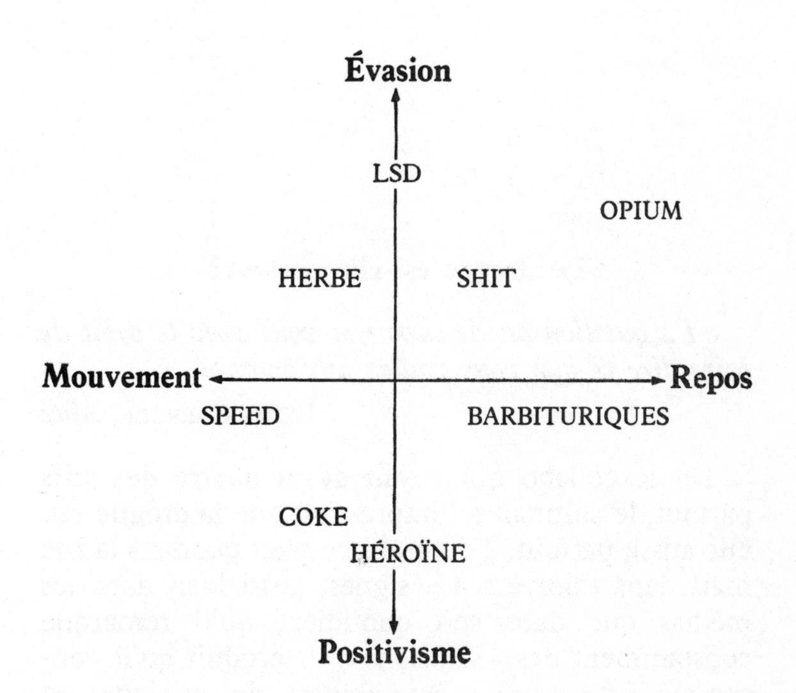

Positionnement des types de « DÉFONCE »
d'après classification CCA

La drogue est-elle partout ?

« La question est de savoir si vous avez le droit de faire dire ce que vous voulez aux mots. »

LEWIS CARROLL, *Alice*

Tel le collabo qui voyait avant guerre des juifs partout, le shitman a l'impression que la drogue est, elle aussi, partout. Toutefois, ce n'est pas dans la rue mais dans l'univers des signes, aussi bien dans les médias que dans son quotidien, qu'il remarque constamment des « allusions » au produit qu'il consomme. La lecture, même abusive, de ces signes est une des Nourritures Intellectuelles favorites du drogué. A l'inverse de l'héroïnomane qui s'en fout, le shitman trouve un réel plaisir à interpréter ces signes. Et comme plus on fume, plus on est tenté de décoder les choses les plus innocentes, le shitman est rapidement convaincu d'évoluer dans un univers complice. Ces certitudes demandent à être un peu tempérées.

Origine des signes

Au commencement était la contre-culture. Même si le shitman 87 n'a pas connu les années 60-70, il en a quand même assimilé les principes de fonctionnement, dont le plus important est le détournement de sens. L'univers de la drogue, parce qu'il est clandestin, se prête aujourd'hui encore à ce jeu de cache-cache avec les mots. On verra plus loin que ses règles sont appliquées aussi bien par l'émetteur que par le récepteur du message.

Pour définir le principe de fonctionnement de la contre-culture, nous n'en écrirons pas l'histoire mais nous nous reporterons en 1830. Pierre Fontanier dans ses *Figures du Discours* donnait cette définition du « trope » que nous appliquerons au détournement de sens : « Les tropes sont certains sens plus ou moins différents du sens primitif, qu'offrent, dans l'expression de la pensée, les mots appliqués à de nouvelles idées. » Aussitôt il complète : « La connaissance de ces divers sens suppose donc nécessairement celle du rapport de l'expression avec la pensée. Mais comment connaître ce rapport si l'on n'a pas quelques notions premières, et sur l'expression de la pensée, et sur la pensée elle-même ? »

Mode d'emploi des signes

L'expression de la pensée c'est le message. Si d'une façon ou d'une autre il parle de drogue, c'est qu'il contient un mot ou un signe appartenant à l'univers de la drogue. Or ces mots sont de plus en plus répandus dans le langage courant : on dit « se défoncer » pour « en mettre un coup », « flasher » pour « avoir le coup de foudre », etc. On le voit, un message peut faire référence à la drogue sans que l'émetteur en soit conscient. C'est pourquoi nous avons dressé une classification des émetteurs.
Voir Tableau 1, pp. 250-251.

Lecture des signes

Ces divers messages, conscients ou non, codés ou non, font tous dans le code contre-culturel référence à la drogue. Mais leur lecture n'est pas identique pour tous. Nous dresserons donc une nouvelle classification mettant en scène les émetteurs et les récepteurs du message.

Notons qu'il n'existe plus d'usagers ne comprenant pas les codes contre-culturels.
Voir Tableau 2, pp. 252-153.

La pub de la drogue

En 1986, deux campagnes antidrogue ont vu le jour en France. Toutes deux visent à la prévention. En langage publicitaire, leur cible est « les non-usagers » :

– Les enfants : « LA DROGUE C'EST DE LA MERDE. »

– Les parents : « LA DROGUE PARLONS-EN. »

Les usagers constituent ici une « cible indirecte ». Campagne par campagne voici la réaction de chacun de ces publics.

« La drogue c'est de la merde »

– L'usager cool se demandera vraiment si on l'a fait exprès. Le shit, c'est littéralement « la merde ». Donc « la drogue c'est le shit ». Rassuré, il s'en roule un autre.

– L'usager hard trouve le film nuuul. Au moment où le petit garçon jette les képas aux chiottes, il soupire de tristesse. Il conclura que cette merde est faite pour lui puisqu'il est dans la merde.

– Les enfants y trouvent une parade aisée au cas où on leur en proposerait. Guère plus longtemps efficace que le père Noël : un jour ou l'autre viendra la question : « mais comment ça de la merde ? »

– Les parents : « C'est bien vrai, ça. »

La drogue parlons-en

– L'usager cool trouve ça super-cool. Il pense que cette campagne s'adresse à lui, et va dès le prochain dîner annoncer la bonne nouvelle. Il est ravi de pouvoir enfin fumer devant ses parents. Les moins cool des usagers cool, un peu parano, n'ont pas bronché devant le piège grossier.

– L'usager hard ne comprend pas pourquoi l'enfant n'est pas écrasé par le piston de la seringue (plan Gore). Il ricane doucement (parfois amèrement). Il est bien placé pour savoir que les parents ne peuvent pas en parler. Lui-même n'en parlera *jamais*, sauf s'il veut *vraiment* s'en sortir.

– Les enfants, quand ils n'ont pas compris que leurs parents ne savent rien, leur demandent : « c'est quoi la drogue ? » Dans le meilleur des cas on leur répond : « c'est de la merde », et plus souvent « t'as fait tes devoirs ? » Curieux, ils iront s'adresser à quelqu'un d'autre qui, plus renseigné, leur fera goûter.

– Les parents. Selon un sondage IPSOS, 94 % des personnes interrogées sont favorables à cette approche du problème. Au fait, de quoi parle-t-on ?

Dis-leur merde aux dealers

Les usagers hard ou cool aiment beaucoup cette chanson, d'ailleurs ils la chantonnent en allant chez le dealer et se roulent un joint devant le clip.

Les enfants aiment beaucoup cette chanson. Ils aimeraient bien avoir tourné dans le clip.

Les parents aiment bien la chanson mais se demandent s'il était vraiment nécessaire d'employer tous ces gros mots.

Les dealers trouvent ça injuste.

JULIETTE NOVAK

Tableau 1

Message codé

Si l'émetteur code le message qu'il envoie, c'est qu'il maîtrise le langage de la contre-culture. Pour lui, la drogue est un élément de cette culture, mais il en a intégré l'ensemble. La drogue fait partie du monde.

Il instaure une distance, le message codé est un jeu.

Qui sont-ils ?

Ce sont des usagers et des non-usagers qui évoluent dans le même monde : artistes, gens de médias, et tous les décalés.

LES USAGERS	LES NON-USAGERS
Beatles : *Lucy in the Sky with Diamonds.* Les initiales de cette chanson = LSD	*Libération :* « Drogue, Platini monte en première ligne »
Bashung : *Toujours sur la ligne blanche.* « J'me souviens d'une autoroute/coupée en deux/j'ai pas vu le panneau/j'fermais les yeux/toujours sur la ligne blanche. »	Télévision : « Noah s'est défoncé pendant ce tournoi » Publicité : « Riz La Croix : une feuille ça colle, deux feuilles ça décolle »
Pour eux la drogue est le message numéro 1. Il est codé consciemment par nécessité pour créer la reconnaissance.	Pour eux la drogue est le message numéro 2. Il est codé consciemment par plaisir pour créer la connivence.

Tableau 1

Message non codé

Ces émetteurs n'ont pas accès à l'ensemble du langage contre-culturel : la drogue en est l'unique manifestation. Pour eux, la drogue, c'est tout un monde (le leur ou celui des « autres »). Ils n'ont aucune distance, leur message est soit direct, soit innocent.

Qui sont-ils ?

Ce sont des usagers et des non-usagers qui vivent dans des mondes opposés : toxicomanes et parents...

LES USAGERS	LES NON-USAGERS
Baudelaire : *Les Paradis artificiels* Lou Reed : *Heroin* « Elle causera ma mort/l'héroïne c'est ma femme et c'est ma vie » *Moi, Ch. F., droguée prostituée*	Grand-mère : « Tu t'es coiffé avec un pétard ». B. Tapie : « il faut se défoncer pour réussir ». Pub : « COCA-COLA et COKE désignent un même produit ».
Pour eux la drogue est le message numéro 1. Par nécessité il n'est pas codé.	Ils n'ont pas conscience du message numéro 2. Le leur est inconsciemment codé (lapsus).

Tableau 2

LA CONTRE-CULTURE		
émetteurs récepteurs	usagers de stupéfiants	non-usagers de stupéfiants
usager soft	Reconnaissance On sait que l'émetteur se drogue. On le connaît, il l'a dit. Plaisir intellectuel Rire	Connivence On se demande si l'émetteur se drogue. La réponse est non : c'est un plan délire. Plaisir intellectuel Rire
usager hard	idem	Connivence On se demande si l'émetteur se drogue. La réponse est oui : paranoïa positive. « Tout le monde se drogue »
non-usager connaissant les codes	Lecture On sait que l'émetteur se drogue. – on salue la prouesse. – ça énerve (au fond, on est contre). Intérêt	Connivence Et vous trouvez ça drôle ?
non-usager ne connaissant pas les codes (parents)	– ne comprend rien – a appris à décoder : soit il salue la prouesse soit il fait un délire paranoïaque (écouter les disques à l'envers pour détecter des messages sataniques)	– ne comprend rien – croit que les médias sont aux mains des drogués.

Tableau 2

HORS-CONTRE-CULTURE		
émetteurs récepteurs	usagers de stupéfiants	non-usagers de stupéfiants
usager soft	Lecture Les émetteurs sont des « Classiques » ou des « mythes ». Pas de goût pour le « récit vécu ». Plaisir nostalgique	Écriture C'est la lecture qui crée le détournement. On se moque de l'émetteur : « les pauvres, s'ils savaient ». Rire
usager hard	Lecture ne connaissent pas la station de métro Baudelaire	Lecture se demandent combien Tapie achète de G. par jour. « Les cons, s'ils savaient »
non-usager connaissant les codes	idem « usager soft »	Lecture/Écriture : on a pitié de l'émetteur : « les pauvres, s'ils savaient ». sourire intérieur
non-usager ne connaissant pas les codes (parents)	rejet : « sale drogué » intérêt pour les classiques ou les témoignages de repentis concèdent qu'on doit pouvoir y trouver du plaisir	pas d'accès au code

La drogue et la loi

Que dit la loi?

Les années 70 s'apprêtaient à fêter leur premier anniversaire quand, le 31 décembre 1970, fut promulguée une loi concernant la toxicomanie. Complétant le « décret sur les substances vénéneuses » du 5 octobre 1953, Raymond Marcellin, alors garde des Sceaux, dotait la législation française d'un appareil répressif imposant en regard de l'ampleur du phénomène à l'époque. Cette année-là, la justice traita 913 cas (à titre de comparaison, elle en a jugé 14 286 en 1985). Hier comme aujourd'hui, le rapport entre le nombre d'interpellations et le nombre d'affaires traitées est resté à peu près stable, autour de 1 pour 2.

Selon cette loi, les risques encourus sont :

– *pour l'usager :* de deux mois à un an de prison et/ou une amende de 500 à 5 000 francs. C'est ce que risquent ceux qui « auront fait usage de l'une de ces substances ou plantes classées comme stupéfiant ».

– *pour les dealers :* gros et petits confondus, la

fourchette des peines encourues est : 2 à 10 ans de prison et/ou 5 000 à 50 000 000 F d'amende.

– *pour tout le monde :* l'injonction thérapeutique peut adoucir la note. « Le procureur pourra enjoindre aux personnes ayant fait un usage illicite de stupéfiants de subir une cure de désintoxication ou de se placer sous surveillance médicale. » Dans ce cas, on suspend l' « action publique ».

La loi de 1970 anticipait énergiquement sur la banalisation de l'usage des stupéfiants pendant la décennie à venir. Mais elle fut vite submergée. Le 9 septembre 1986, dans un « projet de loi relatif à la lutte contre la toxicomanie », la Chancellerie affirmait la nécessité d'une « adaptation des dispositions de la loi du 31/12/70 afin de mieux répondre à l'ampleur nouvelle prise par le phénomène de la toxicomanie ». Si une bonne loi est faite pour durer, la législation de 1970 devait être mauvaise. Seize ans seulement après sa publication, il fallait la réformer. Le ministère de la Justice concédait que « les orientations qui avaient inspiré ce texte demeurent actuelles ». Le projet de loi tendait à « renforcer encore la répression applicable », par exemple en rejetant « l'injonction thérapeutique » parce qu'elle « n'a pas eu l'impact et le succès escomptés par le législateur de 1970 » ou en autorisant la police maritime à arraisonner des navires en dehors de nos eaux territoriales! Des mesures de science-fiction pour un projet fantôme. Après un tollé des spécialistes et un Noël étudiant au balcon, il n'a plus été question de ce « projet ». La loi de 1970 reste donc en vigueur.

Voyons maintenant comment elle est appliquée.

Que dit la justice?

La cohérence théorique de la loi est bien souvent battue en brèche par la pratique. Ainsi à Paris, les usagers de cannabis sont considérés comme « la main courante » d'affaires se résumant à des formalités. La brigade des stupéfiants n'établit pas de procès-verbal, se contentant seulement d'une « mise en garde ». Cette attitude découle de l'application de la circulaire Pelletier de 1978 qui recommande une « procédure allégée » pour les usagers. Mais en province, ce même usager de cannabis fera souvent l'objet de poursuites pénales. De plus, ce même rapport Pelletier parlait d'un seuil quantitatif (laissé à l'appréciation du juge) entre usage et trafic, un seuil qui 10 ans plus tard est apprécié différemment par les magistrats selon leur personnalité et le tribunal dans lequel ils officient. Aujourd'hui, un usager peut être inculpé pour trafic et vice versa.

Prenons comme norme ce cas de figure :

Une personne a été interpellée en possession d'une quantité suffisante pour être suspectée de trafic (environ 5 g d'héroïne ou de cocaïne). Elle n'a jamais été condamnée.

Elle encourt une peine de prison ferme de 3 mois à 1 an ou un sursis de 6 à 18 mois. Certains tribunaux correctionnels vont être « hors norme », notamment ceux des banlieues « dures » et des régions frontalières où le trafic est important.

Par exemple Metz correspond à la norme décrite plus haut. Mais Thionville (à quelques kilomètres de Metz) et Sarreguemines plus proches de la frontière vont être plus sévères : dans les mêmes conditions, le procureur réclame entre 3 et 6 ans fermes. La cour d'appel de Metz joue alors le rôle de stabilisateur puisqu'elle ramène ce genre de sentences à 18 mois fermes.

A Montpellier la correctionnelle est sévère : de 2 à 6 ans pour détention d'héroïne. Mais le problème est analogue à celui de Sarreguemines : on fait face ici à la filière espagnole et il n'y a pas de tribunal à Perpignan pour s'en occuper de plus près.

A Lyon, le mouvement est inverse depuis les changements de magistrats. La chambre correctionnelle de ce tribunal est une des moins répressives de France : 3 mois à 1 an ferme. Mais le tribunal pour enfants pour la même affaire, se charge de rétablir l'« équilibre » : 9 mois à 2 ans fermes, 18 mois (tout aussi fermes) pour simple détention de haschich!

Mais la plupart des tribunaux sont dans la norme. Entre autres :

Bordeaux, Strasbourg, Clermont-Ferrand, Dijon, Marseille, Fontainebleau, Valence, Lille, Nice, Besançon.

Comment elle le dit

Le 31 octobre 1986, devant la XXIIIe chambre correctionnelle du tribunal de Paris qui traite les flagrants délits comparaît un Français guadeloupéen de 24 ans pris en possession d'une « barrette » de haschich.

Il n'a pas dormi de la nuit, se tient debout dans le box des accusés, menottes aux poignets. On récapitule son passé judiciaire : récidiviste, il a déjà été condamné à 6 mois avec sursis pour détention de haschich. Il a fait l'objet de 12 interpellations. Le juge lui annonce ce qui l'attend peut-être : 5 ans de prison.

Le procureur réclame 20 mois fermes : c'est un trafiquant important, une véritable gangrène pour la société... L'avocat argue de sa condition sociale, de sa bonne volonté : il devait justement entamer un stage de métallurgiste le lendemain de son arrestation...

Le juge connaît par cœur ce système de défense.

Plus tard dans l'après-midi, *le verdict* : 10 mois fermes.

Le même jour, à la Xe chambre de la cour d'appel de Paris. Cet accusé a 19 ans, il s'était fait arrêter avec 6 ou 7 autres personnes lors d'une rafle de police dans le quartier de la Faisanderie à Orly (il a donc déjà été jugé par le tribunal de Créteil dont dépend cette banlieue infestée d'héroïne, et a fait appel). Il a été condamné à une forte peine : 3 ans dont 2 fermes. C'était un « pusher », un revendeur non consommateur.

A ses côtés, une fille est présente sur le banc des accusés. Sans doute simple consommatrice, elle en a pris pour 3 ans dont 2 avec sursis et elle aussi fait appel.

L'avocat général décrit le pusher comme « un petit voyou marginal » : il vendait 1 g d'héroïne par jour, c'est un « flambeur de stupéfiants », et on a retrouvé chez lui le même papier quadrillé qui contenait les doses abandonnées.

La plaidoirie ressemble à toutes les autres : conditions sociales, promiscuité (un de ses frères est mort d'une overdose), attestations professionnelles et promesses de stages. Sa passion peut le sauver de la drogue et lui offrir une chance de promotion sociale : il est très bon au foot et représente un espoir non négligeable pour l'avenir de son équipe. Le sport n'est-il pas à l'opposé de la drogue ? Quant à la consommatrice, l'avocat lui a trouvé un stage de formation professionnelle qui lui permettrait de devenir palefrenière et de quitter la « zone ».

Le jugement : la cour d'appel confirme les peines déjà attribuées par Créteil.

Me CLAUDE PAOLI, *avocate au barreau de Paris*

Sex and drugs...

Le shit et le sexe

Une angoissante question agite les jeunes shitmen. Dans tous les lycées la polémique gronde : y a-t-il VRAIMENT une relation entre le shit et l'envie de faire l'amour ?

Réponse : à quinze ans, quand on a envie de faire l'amour tout le temps, le shit est en effet un puissant aphrodisiaque : il donne tout le temps envie de faire l'amour.

A vingt-quatre ans, le shit est AUSSI aphrodisiaque : il donne envie de faire l'amour à chaque fois qu'on a envie de faire l'amour.

Plus vieux, sans trop nous avancer, on peut supposer que le même phénomène se reproduit. Le shit a donc bien une relation avec le sexe, autant que l'homme avec la femme et à peu près à la même fréquence.

La coke et le sexe

Une angoissante question agite les jeunes businessmen : en plus de toutes les performances qu'elle permet, la coke favorise-t-elle les exploits sexuels ?

Réponse : oui, mais au tout début. C'est-à-dire à la fin du XIXe siècle. Pour preuve, cette lettre du docteur Freud à sa future épouse : « Ma princesse, quand je viendrai, je t'embrasserai jusqu'à ce que tu deviennes toute rouge et je te gaverai jusqu'à ce que tu deviennes toute dodue. Et si tu te montres indocile, tu verras bien qui de nous deux est le plus fort : la douce petite fille qui ne mange pas assez, ou le grand monsieur fougueux qui a de la cocaïne dans le corps. »

Cela a continué à être vrai jusque dans les années 20. Dans les salons puritains on frémissait d'« horreur » : des femmes blanches, belles et fragiles, auraient été violées par des nègres, grands et forts, rendus fous de désir par la cocaïne. La coke propulsait donc son usager à ce rang enviable, non pas de noir, mais de bête sexuelle.

Aujourd'hui la cocaïne est considérée avec la même naïveté, comme un aphrodisiaque, un stimulant sexuel. En fait, elle sert surtout à draguer, à épater. Sniffer ensemble une petite ligne avant de faire l'amour, s'enduire le pénis ou le clitoris de cette poudre pour les anesthésier, cela fait un effet bœuf chez les beaufs. Pourtant, il y a là une mince part de vérité. La coke met de bonne humeur (euphorisant) elle est donc désinhibitrice. En tant que stimulant, elle augmente un peu les capacités musculaires, mais le sexe n'étant pas un muscle...

On peut, en conclusion, donner la même réponse que pour le shit.

L'héro et le sexe

L'héroïnomane d'occasion affecté d'éjaculation précoce va d'abord croire que cette substance est un remède miracle : elle ne tue pas radicalement l'envie de faire l'amour, n'empêche ni l'excitation, ni l'érection, ni un certain plaisir. Par contre, elle retarde radicalement le moment fatal; tant et si bien qu'il n'arrive jamais. Le problème est alors résolu mais la frustration est maximale.

On pourrait donc croire que la nature empêche les héroïnomanes de se reproduire. Il n'en est rien, des enfants naissent quand même, déjà dépendants du produit. L'accoutumance permet de composer avec ces effets désagréables mais elle en engendre d'autres, plus profonds :

– l'héroïne rend parfois frigide, même après que l'on ait cessé d'en prendre;

– elle fait passer l'envie de faire l'amour, sans pour autant faire disparaître celle d'aimer;

– lorsqu'il décroche, alors qu'il ressent les pires douleurs, l'héroïnomane est pris d'une véritable frénésie sexuelle. Les hommes, par exemple, sont affectés d'éjaculation précoce pendant tout le temps du sevrage.

GLOSSAIRE

A

Acapulco Gold : variété d'herbe mexicaine.

Accrocher (s') : s'accrocher c'est devenir dépendant d'une drogue. Abrév. « accro ».

Acide : diminutif et argot pour LSD ⋆.

Actuel : magazine mensuel « nouveau et intéressant » que les parents devraient lire au moins une fois par an. On y parle souvent de drogue, et bien.

Afghan : variété de haschich, produite en Afghanistan.

Africaine : variété d'herbe.

Amphétamines : médicaments pour maigrir qui donnent lieu à un usage toxicomaniaque. Ce sont des stimulants. Également utilisés comme « produits de coupe ». Syn. speed ⋆.

Angel Dust : poudre d'ange, voir PCP.

Antalvic : médicament le plus souvent prescrit pour traiter le « manque ». Antispasmodique, analgésique.

B

Babal : les shitmen entre eux se donnent souvent des prénoms dignes des aristocrates de Proust.

Bakchich : commission, dîme prélevée par un taxman *. Syn. taxe *.

Baril (plonger la tête dans le) : être dans la poudre * jusqu'au cou.

Barrette : forme sous laquelle est vendu le haschich au détail.

Beu : herbe * en verlan.

Black : noir en anglais. Se dit en France pour désigner une personne de la même couleur. Verlan : Keubla. Péjoratif : Blackos.

Black Bombay : variété de haschich indien, produit dans la région du Cashemere.

Blaireau : personne non initiée, pas dans le coup. Exemple : avant d'avoir lu ce livre, les parents en matière de drogue, sont des blaireaux.

Blanche : type d'héroïne désignée ainsi à cause de sa couleur. Monopole presque exclusif de la « French Connection » (filière Asie-Turquie-Marseille).

Blow : façon de fumer les poudres, héroïne ou cocaïne.

Bogarter : du nom de l'acteur américain Humphrey Bogart, apparaissant toujours à l'écran une cigarette au bec. Se dit entre shitmen d'un consommateur qui fume égoïstement sans passer le joint. « Don't bogart my joint. »

Broker : agent de change new-yorkais. Le consommateur idéal de cocaïne.

Braquage : cambriolage, vol.

Brune : type d'héroïne désignée ainsi à cause de sa couleur. « Brown Sugar » en anglais.

C

Caféine : alcaloïde du café. Employé comme produit de coupe pour l'héroïne et la cocaïne.

Cataire : herbe à chat, utilisée comme produit de substitution de l'herbe *.

CENTAC : brigade spéciale luttant contre les filières internationales. Cette institution américaine a été supprimée par l'administration Reagan.

Chanvre indien : plante dont on extrait le cannabis * sous la forme de haschich ou d'herbe. Syn. marijuana.

Chicanos : terme d'argot américain qui désigne les métis chinois-mexicains de la côte Ouest.

Chinese Rock : litt. le caillou chinois. Type d'héroïne rose * qui se présente sous la forme de cristaux. Invention et monopole de la « Mafia » chinoise.

Classieux : exclamation gainsboroïde qui qualifie ce qui présente une certaine classe. Ex. « Catherine Deneuve lisant *Vogue,* c'est classieux ».

Clean : litt. propre. Désigne une personne ou une situation claire et nette qui exclut toute imprécision, magouille... Ant. « crade ».

Coca (la) : feuilles du cocaïer dont on extrait la cocaïne. Ne pas confondre avec le Coca (Cola).

Cocaïne : alcaloïde, stimulant du système nerveux central.

Coco : argot désuet pour cocaïne.

Codéine : un des dérivés de l'opium * comme la morphine *. Utilisé comme anti-tussif dans de nombreux médicaments. Sert alors de produit de substitution à l'héroïne. Voir Néocodion *.

Coince (la) : phénomène provoqué par le cannabis *. On dit « coincer sur ». Voir description détaillée p. 49.

Coke : argot le plus répandu pour cocaïne.

Colombienne : variété d'herbe sud-américaine.

Corinne : nom de code de la cocaïne pour conversation téléphonique discrète.

Cotons (se faire les) : en période de pénurie, l'héroïnomane réutilise les vieux cotons qui ont servi à filtrer le mélange qu'il s'injecte.

Coupe (produits de) : produits de substitution incorporés à toutes les drogues. On distingue les produits non actifs qui servent juste à faire du poids *, des produits actifs qui ont un effet similaire à celui de la drogue.

Crack : dérivé de la cocaïne. Cette drogue dangereuse fait des ravages aux États-Unis.

Création : magazine de la création publicitaire.

Crystal : amphétamine en poudre conçue pour être injectée.

D

Dealer : revendeur de drogue. En anglais, to deal = distribuer.

Décalage (mentalité de) : concept sociologique élaboré par le Centre de Communication Avancé (CCA). Désigne un « style de vie » qui vaut surtout pour les jeunes. Ils allient une vie professionnelle « normale » à une vie privée, à un système de valeurs « marginaux ». Ce « style de vie » concerne de plus en plus d'individus.

Décrocher : s'arrêter de prendre une drogue dure dont on est dépendant. Abrév. « décro ».

Défait (être) : état de quelqu'un qui a consommé un stupéfiant. Syn. « être fait ».

Défonce : substantivé : drogue en argot. Par extension, désigne les états et les pratiques qu'induit la consommation d'une drogue : c'est le sujet de ce livre.

Défoncé : état de quelqu'un qui a pris de la défonce. Abrév. « def » et « raide def ». Syn. raide, défait, pété, stoned...

Délire (se faire un) : « activité » qui consiste à se laisser guider par les effets d'un stupéfiant. Un délire ne se laisse commander ni par le bon sens ni par la logique ou la morale.

Dépendance : assuétude à une drogue dure.

Destroy : pratique héritée des punks qui consiste à tout casser. « Être destroy » c'est se foutre de tout.

Dinintel : marque d'amphétamine.

Dope : terme argotique pour drogue. Se prononce « daupe », et s'emploie toujours au féminin singulier. Sans autre précision, « dope » désigne presque toujours l'héroïne.

Dose : terme employé exclusivement par les policiers et les juges. Par métonymie, le drogué dit « paquet » * (en verlan, « képa » *).

Dread Locks : coiffure des rastas *, faite de petites nattes tressées dans des cheveux crépus.

Drogues douces/drogues dures : voir distinction p. 83.

Dross : terme désignant le résidu de l'opium fumé. C'est de la morphine base.

E

Écrouler (s') : se vautrer par terre ou dans un canapé lorsqu'on a abusé du haschich ou de l'héroïne.

Ecstasy : MDA *, « pilule de l'amour », amphétamine psychédélique très à la mode en ce moment. Voir chapitre spécial, p. 218.

Euphorisant : qui met de bonne humeur.

F

Féca : terme de verlan désignant un café (la boisson ou le bistrot).

Fix : argot pour injection intraveineuse.

Flash : sensation violente qui suit immédiatement le fix * d'héroïne, de cocaïne ou d'amphétamine. Il n'y a pas d'heure pour le flash : on dit indifféremment : « Flash pour le jour, Flash pour la nuit. »

Flip : angoisse.

Française : variété d'herbe cultivée sous nos latitudes.

Freak : en anglais : monstre. Dans les années 60, ce terme désignait la frange hard * (dure) des hippies.

Free-Basin : technique de dé-purification de la cocaïne.

Funk : musique inspirée par la Soul et le Rock inventée par James Brown (Sex Machine). Prononcer « fonque » comme les noirs.

G

Galère : au sens large, entreprise périlleuse et compliquée qui donne un résultat douteux. En terme de drogue, la « galère » désigne un plan * foireux, loin, cher... (Voir chapitre spécial, p. 179.)

Gerber : vomir.

H

Hard : litt. dur. Se dit de tout ce que l'on considère comme excessif. Un minet et un loubard se trouvent réciproquement hard. De même, un fumeur de joints * trouvera un héroïnomane trop hard pour lui.

Hare-Krishna : secte religieuse indienne qui fut très à la mode dans les années 70. Spécialistes des gâteaux au shit.

Haschich : résine de cannabis. Syn. hasch, shit, tosch, deumer. Voir tableau p. 36.

Herbe : marijuana. Voir tableau, p. 36. « Beu » en verlan.

Héroïne : diacéthylmorphine. La « reine » des drogues dures. Abrév. héro.

Humex-Fournier : médicament anti-tussif. Utilisé comme produit de substitution par les héroïnomanes en manque.

I

In : à la mode.

Insuline : type de seringue hypodermique utilisée à l'origine par les diabétiques et détournée par les drogués.

J

Joint : cigarette conique contenant un mélange de tabac et de haschich ou d'herbe. Syn. pétard, tarpé, pète. Verlan : oinche.

Junky : abrév. junk. Héroïnomane adepte de la seringue.

K

Kébra : verlan pour braquer (voir Braquage).

Képa : verlan pour paquet d'héroïne ou de cocaïne (voir Dose).

Keuf : verlan pour flic ou fric selon le contexte.

Keusse : verlan pour « sac », terme d'argot. 10 sacs = 100 francs.

L

Latinos : terme d'argot péjoratif pour désigner un Sud-Américain.

Libanais : variété de haschich produit au Moyen-Orient.

Ligne : forme sous laquelle est présentée une drogue en poudre prête à être sniffée *. On dit « se faire une ligne ». Voir Rail *.

Louis Legras : marque de cigarette pour asthmatique utilisée pour couper l'herbe ou directement en décoction.

LSD : le plus fameux des hallucinogènes. Syn. acide, trip. Porte d'autres noms aussi variés que comiques : « pyramide noire, verte ou bleue », « monstre bleu », « étoile rouge », « buvard », « petit gris », « petit bleu »... Voir chapitre spécial, p. 215.

Lune de miel : période de découverte d'une drogue dure pendant laquelle ses effets négatifs ne se font pas encore sentir.

M

Mac Do : abréviation du nom des fast-food « Mac Donald ». Leurs pailles sont les instruments les plus employés pour se « faire une ligne » *.

Man : en anglais : mec. Utilisé à l'origine par les noirs américains comme apostrophe; puis comme suffixe pour qualifier des catégories de personnes. Ex : super-man, shit-man, rasta-man...

Manque : état dans lequel se trouve un toxicomane dépendant privé de drogue.
Mariani : docteur du début du siècle qui avait mis au point un vin très célèbre contenant de la cocaïne.
Marijuana : chanvre indien. Syn. herbe *.
Marocain : variété de haschich d'Afrique du Nord.
Marmottan : centre de thérapie parisien dirigé par le docteur Olivenstein.
MDA : MéthylèneDioxyAmphétamine, voir Ecstasy *.
Meuf : verlan pour femme.
Montée : phase pendant laquelle une drogue parvient peu à peu à son effet maximum.
Morphine : alcaloïde extrait de l'opium.
Mule : personne « chargée » par une filière mafieuse de transporter de la drogue dans ses intestins, son estomac et parfois, à son insu, dans ses bagages.
Munchies : de l'anglais to munch = mâchonner. Ce terme désigne la fringale qui saisit automatiquement le fumeur de haschich.

N

Narco-dollars : les dollars invisibles, bénéfices du commerce des stupéfiants.
Naze : être naze signifie être fatigué, hors d'état de fonctionner.
Neubro : brown (sugar) en verlan.
Néocodion : marque de médicament anti-tussif utilisé par les héroïnomanes en manque comme produit de substitution.
Nirvâna : paradis hindou.
Nouveau Beauf : au lieu de Ricard, fait rimer ringard avec pétard *. Exemple : Gérard Jugnot.

O

Olive : diminutif familier et affectueux de : Docteur Olivenstein.

Opium : le fameux « papaver somniferum ». Extrait du pavot. La drogue mythique par excellence. Voir chapitre spécial, p. 213.

Ordinator : marque d'amphétamines.

Overdose : surdose. Abrév. OD. Pas forcément mortelle. Voir chapitre spécial, p. 149.

Out : démodé.

P

Paquet : mode sous lequel sont, à la vente, conditionnées l'héroïne et la cocaïne. Syn. dose *. En verlan : képa *.

Pasta : état intermédiaire dans la fabrication de la cocaïne.

Patriarche : institution thérapeutique pour toxicomanes. Actuellement soumise à la question.

Pavot : plante à fleur de la famille des opiacées dont dérivent tous les narcotiques.

PCP : abrév. de Phencyclidine, un anesthésiant employé en chirurgie vétérinaire pour les grands mammifères. Fit des ravages comme drogue aux USA à la fin des 70's. A aujourd'hui quasiment disparu. Syn. angel dust = poudre d'ange. Ainsi appelée parce qu'elle était la substance favorite des Hell's Angels américains.

Pétard : terme d'argot à la mode pour « joint * ». Abrév. Pèt. En verlan : tarpé.

Pété : syn. naze, défoncé, raide...

Piquomaniaque : fou de la seringue. Capable de s'injecter n'importe quoi pour le seul plaisir de se piquer.

Placebo : substance neutre que l'on substitue à un médicament pour contrôler ou susciter des effets psychologiques accompagnant la médication. (Dictionnaire Robert.)

Plan : 1) Activité choisie en fonction de son caractère ludique et s'accordant avec les effets d'une drogue. Voir les plans défonce, p. 64.

2) L'organisation de l'achat et de la distribution d'une drogue.

3) par métonymie : la drogue elle-même. On dit : « c'est un bon plan » pour « cette drogue est bonne ».

Planed : en fait, planer = illusion de flotter dans l'espace procurée par la défonce.

Poids (faire du) : rajouter des produits de coupe * inactifs dans un stupéfiant pour en tirer plus de profit.

Polytoxicomanie : mélange des drogues. En fait, il y a toujours dans ce cas une drogue dominante, les autres ne servant qu'à potentialiser ses effets ou à la remplacer.

Pompe : argot pour seringue. En verlan : peupon. Syn. shooteuse.

Poudre : syn. d'héroïne. On dit : « prendre de la poudre », « être dans la poudre »...

Psychédélique : se dit de l'état psychique résultant de l'absorption de drogues hallucinogènes. Par extension désigne un mouvement esthéthique et idéologique à la mode dans les années 60-70.

Pusher : revendeur de drogue non consommateur qui « pousse » ses clients à l'achat.

Q

« *Quand je veux* » *:* ... j'arrête. C'est la phrase favorite de l'héroïnomane en pleine « lune de miel * ».

R

Raccrocher : rechute d'un toxicomane après qu'il ait été sevré.

Raide : syn. de pété, défoncé, naze...

Raide def : encore plus qu'à la ligne précédente. Raide def = complètement défoncé.

Rail : ligne * géante.

Rapatriement sanitaire : un grand classique des années 70. Consiste à prendre une assurance type Europe Assistance, craquer tout son argent sur place en achetant de la drogue et se faire payer le voyage de retour par ledit organisme (en Mystère 20).

Rasta : adepte du « rastafarianisme », religion jamaïcaine prônant le retour aux sources africaines. Par ext. jeune noir adepte du reggae portant dread locks * et béret aux couleurs de l'Éthiopie. Souvent le joint aux lèvres.

Rose : type d'héroïne ainsi appelée à cause de sa couleur. Voir Chinese Rock *. Coupée à la strychnine.

Rush : arrivée en masse de l'héroïne dans le sang à la suite d'une piqûre intraveineuse. Syn. flash *.

S

Sapeur : de l'argot « sape » = fringue, vêtement. Le sapeur est un jeune noir dont l'élégance est la raison d'être. Participe à des concours où il rivalise avec d'autres sapeurs.

Shit : litt. « merde ». Argot pour haschich. En verlan tosh *, ou deumer (verlan de la traduction française).

Shitman : fumeur de shit *.

Shoot : argot pour injection intraveineuse. De l'anglais to shoot = tirer.

Shooteuse : seringue. Syn. pompe, insuline.

Sin Semilla : litt. « sans graines ». Variété d'herbe * californienne et mexicaine.

Skeude : disque en verlan.

Smoke the Dragon : litt. « Fumer le dragon ». Méthode d'absorption de l'héroïne.

Sniff, sniffer : priser un stupéfiant en poudre (généralement cocaïne ou héroïne).

Socio-cul : abrév. péjorative pour « socio-culturel ».

Speed : argot pour amphétamine.

Speedball : cocktail d'héroïne et de cocaïne absorbé en intraveineuse et dont est mort, entre autres, John Belushi (le gros des Blues Brothers).

Speed Freaks : hippies hard * consommateurs de Méthédrine, variété d'amphétamine interdite depuis 1967, date de leurs dernières exactions.

Squatt : habitation insalubre et inoccupée piratée par des SDF (les Sans Domicile Fixe).

Stardust : litt. « poussière d'étoile ». Appellation hollywoodienne de la cocaïne.

Steupo : verlan pour poste auto-radio, proie favorite du junky * sans le sou.

Stick : petite cigarette de marijuana.

Stoned : syn. de raide *, défoncé *, naze *, pété *...

Strobi : verlan pour bistrot (voir féca *).

Strychnine : alcaloïde toxique, poison avec lequel on coupe certaines héroïnes.

T

Tati : grand magasin parisien bon marché, dans lequel s'habille le grand frère du sapeur *.

Taxer : en argot voler, prendre sa dîme.

Taxman : celui qui taxe *. Sorte de percepteur de la dope *.

Tirer : argot pour voler.

THC : tétrahydrocannabinol, principe actif du cannabis.

Tosh : shit * en verlan.

Tourner (faire) : 1) Passer le joint à son voisin-sin-sin jusqu'à ce qu'il revienne.

2) Pratique prosélyte qui consiste à approvisionner quelqu'un d'autre sur ses propres réserves.

Trait-d'Union : institution thérapeutique dirigée par le docteur Curtet.

Tranxène : médicament anxiolytique prescrit pendant les périodes de manque d'héroïne ou pour contrecarrer les effets de la cocaïne.

V

Vacances : euphémisme qui désigne la période pendant laquelle on décroche.

Verlan : langage hérité des mauvais garçons, qui consiste à parler en inversant les syllabes. Verlan = l'envers.
Viêt-nam : la première guerre où la drogue fut employée comme une arme.

W

Water-closet : villégiature préférée du junky *. Syn. chiottes...

Y

Yuppy : litt. Young Urban Professional. Les jeunes loups d'outre-Atlantique. Pur produit du libéralisme. Rejettent en bloc toutes les drogues, sauf cocaïne *.

Z

Zappeur : téléspectateur muni d'une télécommande qui passe sans cesse d'une chaîne à l'autre.
Zonzon : diminutif pour prison ou maison. Pour certains drogués et plus rarement pour certains trafiquants c'est la même chose.

BIBLIOGRAPHIE

OUVRAGES GÉNÉRAUX

Baudelaire Charles, *Les Paradis artificiels*, Bibliothèque de la Pléiade. Gallimard.

Bergson Henri, *Le Rire*, P.U.F.

Burroughs William, *Le Festin Nu*, Gallimard, 1959.

Doyle Conan, *Sherlock Holmes*, « Bouquins », Laffont.

Cocteau Jean, *Le Passé défini* tome II, Gallimard, 1986.

Colette, *La fin de Chéri*, Flammarion.

Hugo Victor, *Les Misérables*, IVe partie, livre 7 : L'Argot. Bibliothèque de la Pléiade, Gallimard, 1951.

Michaux Henri, *Misérable Miracle*, chapitre : « Le Chanvre indien ». Gallimard, 1972.

Obalk Hector, Soral et Pasche, *Les Mouvements de mode expliqués aux parents*, Laffont, 1984.

Rubin Jerry, *Do it*, Seuil.

Summers Anthony, *Les Vies Secrètes de Marilyn Monroe*, Presses de la Renaissance, 1986.

OUVRAGES CONSACRÉS À LA DROGUE

Eyguesier Pierre, *Comment Freud devint drogman ?*, Navarin.

Hoffman Albert, *LSD, My Problem Child*, Mc Graw Hill 1981.

Laude Yannick, *La drogue à l'école*, Marabout, 1986.
Leary Timothy, *La Politique de l'Extase*, Fayard.
Margolis J., *Complete Book of Recreational Drugs*. Price/Stern/Sloan, 1978.
Masson Jeffrey, *The Assault on Truth*, Farrar/Strauss/Giroux.
Mills James, *L'Empire Clandestin*, Albin Michel, 1986.
Olivenstein Dr, *Le Destin du Toxicomane*, Fayard.
Pelicier Yves et Thuillier Guy, *La Drogue*, Que sais-je ? PUF 1985.
Thornton E. M., *The Freudian Fallacy*, Doubleday.
Vequaud Yves, *Vive le Haschich!* Orban, 1977.
Wolf Tom, *Acid Test*, Seuil.

REVUES CONSULTÉES

Actuel. Pas un numéro sans un article sur la drogue. Signalons surtout le n° 56, juin 1984 : « *La Cocaïne a 100 ans* ».
Autrement, « *Dans la rue, l'héroïne.* »
Création, Magazine de la Création publicitaire. Déc. 1986, un dossier Drogue et Pub.
High Times, Magazine américain de la drogue.
Marie-Claire, déc. 1986. Une interwiew du docteur Curtet.
Recherches n° 39 bis, déc. 1979, *Drogues, Passions Muettes*, un excellent dossier dirigé par Alain Jaubert et Numa Murard.
Revue de la Police Nationale : La Drogue n° 124, juin 1986.
Le Monde, notamment déc. 1977, *Le Monde de l'Économie* et tous les jours.
Vipère. Collection complète. Mieux qu'un fanzine, les premiers à avoir su vraiment parler de la drogue en France. Un monument qui permet de se faire une idée de l'omniprésence de la défonce dans la Bande dessinée.

SOCIOLOGIE

Voir l'annexe « La drogue en France. Faits et Chiffres ».
Pierre G. Coslin, *Adolescents devant la drogue*, UER de psychologie, Paris V^e^.
P. Bourdieu, *Classement, déclassement, reclassement* in *Actes de la Recherche en Sciences Sociales*. N° 24, nov. 1978.

F. Davidson et Marie Choquet, *Les Lycéens et les drogues licites et illicites*. INSERM édition, 1980.

Données sociales, 1984. INSERM.

R. Guerrieri, P. Pinelli et M. Zafiropoulos, *Infractions à la législation sur les stupéfiants : analyse des interpellations des étrangers en France* in *Deviance et Société*, n° 3, sept. 1982, pp. 259 à 279.

Informations rapides, n°s 81 et 82, *Enquête toxicomanies auprès des établissements*. Ministère des Affaires sociales et de l'Emploi.

R. Ingold et C. Olivenstein, *Une tentative d'évaluation épidémiologique de la pharmacodépendance à Paris*, in *Bulletin des Stupéfiants*, n° 3, 1983.

Louis Harris, sondage, 1983. *Les 14/20 ans et la politique*.

Louis Harris, sondage, 1983. *État d'esprit des jeunes*.

G. Mauger *L'apparition et la diffusion de la consommation de drogues en France* in *Contradictions*. Actes du colloque de Lille : Jeunes et société, 21 et 22 octobre 1983.

Le Monde de l'Éducation, « La drogue et les jeunes, ça suffit », n° 132, nov. 1986.

Le Monde. Dossiers et documents. La France des Régions. Atlas statistique, 1986.

OCTRIS 1985.

Quelques statistiques, 1986. Ministère de la Justice.

SOFRES, sondage, 1984. « Radioscopie des 16/22 ans. »

SOFRES, état de l'Opinion, Gallimard, 1987.

Zafiropoulos et Pinelli, *Drogues, déclassement et stratégies de disqualification* in *Actes de la Recherche en Sciences Sociales*, n° 42, avril 1982.

Cet ouvrage a été réalisé sur
Système Cameron
par la SOCIÉTÉ NOUVELLE FIRMIN-DIDOT
Mesnil-sur-l'Estrée
pour le compte de France Loisirs
le 25 novembre 1987